Ernst Elias Niebergall. Der Datterich im Darmstädter Biedermaier

Überreicht vom Magistrat der Stadt Darmstadt

Ernst Elias Niebergall .

Der Datterich im Darmstädter Biedermeier

Herausgegeben von Georg Hensel

Eduard Roether Verlag Darmstadt

3. Auflage

Dem Text liegt die Erstausgabe von 1841 zugrunde

Die Fußnoten folgen im wesentlichen den Wort- und Sacherklärungen von Karl Esselborn und Volker Klotz

ISBN-Nr. 3-7929-00081
Gestaltung: Helmut Lortz
Lithos: Haußmann Reprotechnik
Herstellung: Roetherdruck, alle Darmstadt

Main Thor
Marstall
Hospital
Correktions Haus
Louisen
Platz
HEIN-STRASSE
Palais des Erbgroßherzogs
Waldstrasse
Artillerie-Platz
Baustrasse
Bau-Magazin
Garten des Erb-Großherzg

Hof Theater
Infanterie Caserne
Ballon Platz
arade Platz
Markt-Platz
ALTE STADT
Plan von DARMSTADT
Weimar.
im Verlage des Geograph: Instituts.
1823.

... den "Datterich" haben gewohnheitsmäßige Trinker: Ihre Hände zittern schon morgens.

Als die Lokalposse "Datterich" im Jahr 1841 erschien, lebte in Darmstadt ein Mann, der unter dem Spitznamen "Datterich" bekannt war. Auf ihn wiesen die Darmstädter mit Fingern, als Niebergalls Komödie der Öffentlichkeit übergeben wurde.

... es war der am 24. Oktober 1812 zu Darmstadt geborene Kanzleigehilfe Friedrich Hauser, 1841 ohne Amt.

... Hausers dienstliche Laufbahn wäre glatt verlaufen, hätte er sich nicht von Zeit zu Zeit dem Trunk ergeben und seinen Dienst vernachlässigt.

... er wurde am 2. Juli 1839 entlassen (Reg.Bl. 1839,S.265) und 1843, von der Trunksucht geheilt, wieder in den Staatsdienst aufgenommen.

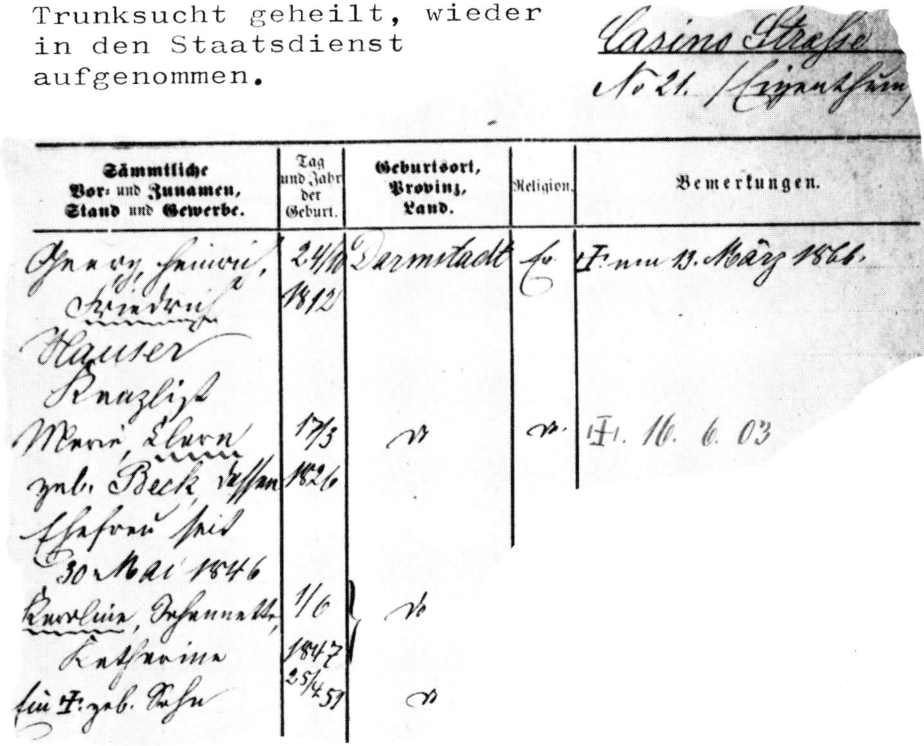

Casino Straße

No 21. Eigenthümer

Sämmtliche Vor- und Zunamen, Stand und Gewerbe.	Tag und Jahr der Geburt.	Geburtsort, Provinz, Land.	Religion.	Bemerkungen.
Georg Heinrich Friedrich Hauser Kanzlist	24/10 1812	Darmstadt	ev.	† am 13. März 1866.
Marie Eleonore geb. Beck dessen Ehefrau seit 30 Mai 1846	17/3 1826	do	do.	† 16. 6. 03
Karoline Johannette Katharine	1/6 1847	do		
ein T. geb. [illegible] [illegible]	25/4 51	do		

Friedrich Hauser
nach einem Aquarell von Herman Müller
Aus: E. E. Niebergalls dramatische Werke, Darmstadt 1925.

Sommertheater in Darmstadt.

In Rost's Etablissement auf dem Chausseehause.

Unter der Direction der Frau **Marie Fidy-Hoch.**

Samstag den 2. August,

Abonnement suspendu.

Zum Benefiz für Herrn Louis Nötel.

Zum Erstenmale

Datterich.

Lokalposse in Darmstädter Mundart in 3 Akten und 10 Bildern von Elias Streff (Niebergall).

Erster Akt.

1. Bild. Ein Sonntag Morgen!

Datterich, Particulier . . . . Hr. Louis Nötel.
Knerz, Schlossermeister . . . . Hr. Burk.
Bennelbächer, Bäckermeister . . . . Hr. Fix.
Fritz Knippelius, Metzgermeister . . . . Hr. Benedix.
Karl Schmidt, Drehergeselle aus Bessungen . . Hr. Wernhardt.
Lisette, Kellnerin . . . . Frl. E. Collot.
Ein kleiner Knabe

2. Bild. In Traisa.

Dummbach, Drehermeister . . . . Hr. Kretzschmar.
Babette, seine Frau . . . . Frl. Werner.
Marie, seine Tochter . . . . Frl. A. Collot.
Bennelbächer . . . . Hr. Fix.
Knippelius . . . . Hr. Benedix.
Datterich . . . . Hr. Louis Nötel.
Schmidt . . . . Hr. Wernhardt.
Ein Musikant . . . . Hr. Hardt.

Zweiter Akt.

(Spielt einen Tag später.)

3. Bild. Morgen-Visiten.

Datterich . . . . Hr. Louis Nötel.
Steifschächter, Schneidermeister . . . . . Hr. Fix.
Bengler, Schuhmachermeister . . . . Hr. Zarzicky.
Schmidt . . . . Hr. Wernhardt.
Ein Junge.

4. Bild. Unglückliche Liebe.

Dummbach . . . . Hr. Kretzschmar
Babette . . . . Frl. Werner.
Marie . . . . Frl. A. Collot
Evchen, deren Freundin . . . . Frl Fischer.

5. Bild. Der Verführer und sein Opfer.

Datterich . . . . Hr. Louis Nötel.
Schmidt . . . . Hr. Wernhardt.
Bengler . . . . Hr. Zarzicky.
Lisette . . . . Frl. E. Collot.

6. Bild. Das Rendezvous am Herrngartenteich.

Datterich . . . . Hr. Louis Nötel.
Schmidt . . . . Hr. Wernhardt.
Marie . . . . Frl. A. Collot.
Knippelius . . . . Hr. Benedix.

Dritter Akt.

(Spielt 4 Tage später.)

7. Bild. Der Brandbrief.

Dummbach . . . . Hr. Kretzschmar.
Babette . . . . Frl. Werner.
Marie . . . . Frl. A. Collot.
Knippelius . . . . Hr. Benedix.
Schmidt . . . . Hr. Wernhardt.
Evchen . . . . Frl Fischer

8. Bild. Des Schusters Rache.

Datterich . . . . Hr. Louis Nötel
Knippelius . . . . Hr. Benedix.
Bengler . . . . Hr. Zarzicky.
Knerz . . . . Hr. Burk
Bennelbächer . . . . Hr. Fix.
Lisette . . . . Frl. E. Collot.

9. Bild. An den drei Brunnen.

Datterich . . . . Hr. Louis Nötel
Dickel, Polizeidiener . . . . Hr. Hardt.

10. Bild. An die Luft gesetzt.

Dummbach . . . . Hr. Kretzschmar.
Babette . . . . Frl. Werner.
Marie . . . . Frl. A. Collot.
Schmidt . . . . Hr. Wernhardt.
Knippelius . . . . Hr. Benedix.
Datterich . . . . Hr. Louis Nötel.

Die Decoration „die brei Brunnen" ist neu gemalt. Nach jedem Bilde fällt — jedoch nur auf einen Augenblick — der Vorhang, größere Pausen d nur nach dem zweiten und sechsten Bilde.

Preise der Plätze:

Numerirter Platz 36 kr. — Erstes Parterre 24 kr. — Zweites Parterre 18 kr. — Gallerie 9 kr.

Kinder unter 10 Jahren zahlen auf dem ersten und zweiten Parterre die Hälfte.

Der freie Eintritt ist für heute aufgehoben.

Cassa-Eröffnung um 5 Uhr. Anfang 6 Uhr.

Zu recht zahlreichem Besuche dieser Vorstellung ladet das verehrte Publicum hierdurch ganz rgebenst ein

Louis Nötel.

Personen

DATTERICH, Particulier

BENNELBÄCHER
SPIRWES
KNERZ
} seine Freunde

DUMMBACH, Drehermeister

BABETTE, seine Frau

MARIE, seine Tochter

SCHMIDT, Drehergeselle

STEIFSCHÄCHTER, Schneidermeister

BENGLER, Schuhmachermeister

FRITZ KNIPPELIUS, Metzgermeister

EVCHEN, Mariens Freundin

LISETTE, Kellnermädchen

Polizeidiener

Zwei Musikanten

Einige Handlanger

Ein Wirtsjunge

Ein kleiner Junge

Particulier = Rentner

Erstes Bild – Erste Szene

Morgens. Wirtsstube. Datterich, Knerz, Bennelbächer und Spirwes spielen im Vordergrund Solo. Lisette ist im Hintergrund mit Aufräumen usw. beschäftigt.

DATTERICH (resigniert). Mer sinn geschwolle Freindche.

BENNELBÄCHER. Ich kumm heit uf kahn grihne Ast. Wann Sie die Spitz zu dritt gehatt hette –

DATTERICH. Ja, wann is kah Keeskorb.

SPIRWES. Geld will ich sähe, meine Herrn. Des leer Stroh drässche duschur bin ich dick. (Zu Datterich.) Von Ihne krie ich jetz zwelf Kreizer, soviel mache grood mei zwah halwe Schoppe.

DATTERICH. Glei, Freindche. – Lisettche!

LISETTE. Was steht zu Dienste?

DATTERICH. Kenne-Se mer en breißische Dahler wächsele?

LISETTE. Warum dann net?

DATTERICH. Schee von Ihne. Des wollt ich nor wisse – gehn-Se nor widder; – ich wollt nor emol Ihne Ihrn gute Wille sähe.

LISETTE (kehrt ihm ärgerlich den Rücken, für sich). Der Siwwesortelumb braucht Ahm aach noch zu foppe!

SPIRWES. Ich kann Ihne aach wächsele, gäwwe-Se nor her.

DATTERICH. Losse-Se nor, die muß als e Bisje geuhzt wern. (Er rasselt in der Tasche.)

KNERZ (zu Bennelbächer). Wos Schlissel!

DATTERICH (zu Spirwes). Valihrn-Se nor die Fiduz net: Sie krijje hernach Ihne Ihr Geld. Awwer jetz: kabutt odder en Ranze! Solo!

BENNELBÄCHER. Wie schreibt er sich?

DATTERICH. Schippebihk!

SPIRWES. Der wackelt aach.

DATTERICH. E Eselsohr wackelt aach, will ich Ihne sage, un browirn-Se's emal und roppe-Se sich's aus. Eraus mit de wilde Katze!

KNERZ. Was spielt mer dann do am Beste?

DATTERICH. Nor eraus! E Katt odder e Scheit Holz! Komme-Se, wie-Se wolle!

KNERZ. Kreiz Aß!

---

geschwolle = in der Enge, in Verlegenheit; Spitz zu dritt = zweithöchster Trumpf im Kartenspiel „Solo“: die Sieben der Trumpffarbe zusammen mit zwei anderen Trümpfen; wann is kah Keeskorb = Wortspiel zwischen „wann“ (= wenn) und „Wanne“. Der Besitzer eines Badehäuschens im Main hatte die bei seiner Konkurrenz gebräuchlichen kupfernen Badewannen auf dem Badeschiff durch in den Main gehängte weidengeflochtene Limburger Käsekörbe ersetzt; duschur = frz. toujours, immer; Siwwesortelumb = Siebensortenlump; geuhzt = gefoppt; Fiduz = lat. fiducia: Vertrauen; kabutt odder en Ranze = jetzt alles aufs Spiel setzen; Schippebihk = Schippen und Pique (doppelt ausgedrückt zur Verstärkung); roppe = reißen; wilde Katze = gefährliche Karten

CHARLES
CHARLES
JUDIC
JUDIC
CEZARA
CEZARA
RACHEL
RACHEL

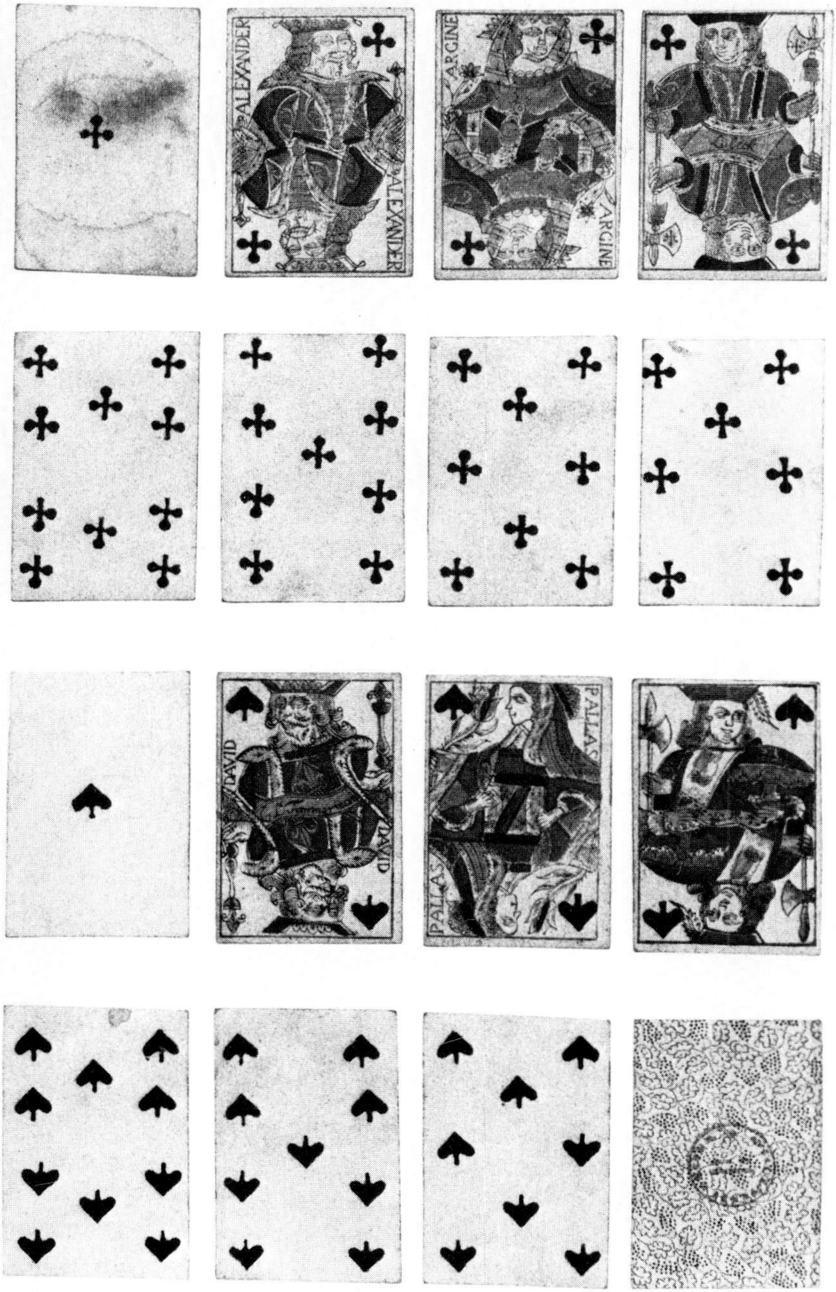
ALEXANDER
ALEXANDER
ARGINE
ARGINE
DAVID
DAVID
PALLAS
PALLAS

DATTERICH. Des hat kahn Vadda. Un jetz! Gewwe-Se Owacht, meine Herrn! Von oben herab , sprach Bonabatt! Drumb, Drumb, Drumb! un do is noch e ganzer Hut voll Drimb! Ganjeh. Vier Madador und die Bremjeh! Geriwwelt! Drei Batze à Person! Kitt, Herr Spirwes! Lisettche, noch e halb Scheppche!

SPIRWES. Sie howwe aach mehr Glick, als –

DATTERICH. No? als –?

SPIRWES. Als wie gewehnlich.

BENNELBÄCHER (sieht auf die Uhr). Glei zwelf nooch dem Glockespiel. Die Frah werd mi'm Esse worde: es ist Zeit, daß mer in de Schoos seiner Famillje zurickkehrt.

DATTERICH. Bleiwe-Se da un esse-Se im Werthshaus, do werd Ihne ihr Dahl in der Haushaltung gespart. Herzsolo!

KNERZ (will aufstehen). Ich glaab, ich bin äwe geruffe worn.

DATTERICH. Bleiwe-Se nor, Ihne Ihr Gägewatt is hier nothwenniger. Da gucke-Se her – ich will-en auflehje – siwwe Drimb, meine Herrn, riwwele-Se gefelligst – vier Knepp à Person. Lisettche, e halb Portion kalde Hammelsbrade un noch e halb Scheppche! – hier lijje achtzeh Kreizer.

BENNELBÄCHER. Sie kenne nix Besseres duh, als spiele; Sie vadiene sich Ihne Ihr Läbsucht.

DATTERICH. Ach, Freindche, des Glick is gor verennerlich. Wer zuerscht gewann, werd zuletzt e Bettelmann. Was bin ich erscht gästert geschleimt worn!

LISETTE (bringt das Verlangte). Wo hawwe-Se dann des Geld?

DATTERICH. So is Recht, Sie kleine Unschuldslose! Des haw-ich gern, wann's in der Werthschaft pinktlich hergeht – da gedrunke und da des Geld: hier! (Indem er sich über den Braten hermacht.) Lasse-Se sich net stehrn, meine Freinde,des Spiel erleid't kah Stehrung dorch mei Esse; des geht bei mir all wie e Uhrwerk. (Sie spielen weiter. Ein kleiner Junge kommt schüchtern herbei und zupft Bennelbächer am Arm.)

JUNGE. Vaddache, du sollst doch hahm kumme, hot die Mudda gesogt, des Esse deht ganz kalt wern.

BENNELBÄCHER. Do braucht-ersch aach net zu bloose. Herr Knerz, hawwe-Se äwe noch Drumb bekennt?

KNERZ. Nah, mir sinn mei poor Wermercher abgenumme worn.

DATTERICH (zu dem Jungen). Siehst-de net, daß die Menschheit Katt spielt? Sag deiner Frah Mudda, dei Vadder deht sparn, er deht heit nix esse.

---

hat kah Vadda = hat keinen Vater, d. h. die Karte steht allein, mit ihr läßt sich nichts gewinnen; Owacht = obacht; Bonabatt = Bonaparte; Drimb = Trümpfe; Ganjeh = frz. gagné: gewonnen; Madador = Trumpf; Bremjeh = (cinq) premiers: macht der eigentliche Solospieler die ersten fünf Stiche, ohne daß seine Gegner zum Stich kommen, so wird das bei der Gewinnberechnung besonders gezählt; geriwwelt = bezahlt, reibende Bewegung der Finger beim Geldzählen; Batze = silberne Scheidemünze im Wert von vier Kreuzern; kitt = quitt, wett; Glockespiel = Glockenspiel im Darmstädter Schloß, die damals maßgebende Normaluhrzeit; Dahl = Teil; Knepp = Knöpfe, hier Geldstücke; Läbsucht = Lebensunterhalt; gästert = gestern; geschleimt = vom Geld befreit; Wermercher = Würmchen

1 KREUZER 1840
1 KREUZER 1840
1/2 GULDEN 1838
1/2 GULDEN 1838
3 KREUZER 1838
1 GULDEN 1839
3 KREUZER 1838
1 GULDEN 1839
5½ GULDEN * 2 THALER * VEREINS MÜNZE 1841 VII EINE FEINE MARK
6 KREUZER 1838
6 KREUZER 1838
5½ GULDEN * 2 THALER * VEREINS MÜNZE 1841 VII EINE FEINE MARK

Berg.
Kurzwaaren Schneider

Handkäs mit Musik

Das ist wohl von allen Beilagen zum Äppelwoi die beliebteste. Es handelt sich um einen runden Handkäse, der auch als Mainzer Käse bekannt ist. Er muß natürlich schön durch sein. Aufgetragen wird er mit einer Tunke aus Essig, Öl, feingeschnittener Zwiebel, Pfeffer, Salz; manche schütten diese Soße über den Käse, andere zerschneiden ihn und lassen ihn eine gute Weile darin ziehen. Dazu gibt es ein rundes Butterstück und eine sehr dicke Scheibe derbes Brot.

In Rheinhessen verzehren ihn an den Sonntagnachmittagen die Bauern im Wirtshaus zum Wein.

Mancher Fremdling hat schon verwundert gefragt: „Warum mit Musik?" Einige Zeit danach ging ihm ein Licht auf.

BENNELBÄCHER. Da, Pederche, do host-de en neie Kreizer, mach-der en gute Daak und soog daham iwwer die Mudda, ihr sollt nor als eweil esse, hett ich gesagt, du wehrscht mer am Mack begäjent – hehrsch-de, am Mack – ich hätt noch en bressante Gang. (Der Junge ab.)

DATTERICH. Der Bub werd gut.

BENNELBÄCHER. Wann ich Ihne en Roth gewwe soll, meine Herrn: heirothe-Se net! Sie sähe, wie's geht. Geht mer aus, do brummt die Frah, kimmt mer widder, do werd aach gebrummt; bleibt mer daham, do hot mer des Gebrumm von der Frah und des Gemaunz von dem klahne Gezäwwel de ganze Daak um sich erum: dann wann aach noch so e Raß Kinner ohmaschirt kummt, wie die Orjelpeife, do is der Deiwel ganz los. Des Ah' braucht des, des Anner des, des Ah' will e Klahd, des Anner will Schuh, des Anner will Bücher, des Anner will Schulgeld – es deht Noth, mer deht sein Rock ausziehe: do hobt-er'n, dahlt eich! Zickt mer die Haut iwwer'm Kopp zamme!

DATTERICH. Des is aach bleeslich der Grund, warum ich net heirath. Wer heidiges Daags ehrlich und geacht dorch die Welt komme will, der hat iwwerrensig mit sich zu schaffe.

Erstes Bild – Zweite Szene

Mehrere Handlanger setzen sich an einen Tisch, links im Vordergrund. Datterich usw. spielen fort.

ERSTER HANDLANGER (zu Lisetten). Gäwwe-Se uns emol e Vertelche.

LISETTE. Mir verzappe kahn Schnaps.

ERSTER HANDLANGER. Net? (Sieht seinen Kameraden an. Zu Lisetten.) No, wos howwe-Se dann?

LISETTE. Nix als Wei.

ERSTER HANDLANGER. Als en Schoppe herwachse lasse, ahn for acht Kreizer.

LISETTE. Unsa Geringsta is zu zwelf.

ERSTER HANDLANGER. No, wann's net annerschter is, do hole-Se ahn.

ZWEITER HANDLANGER (heimlich zu den anderen). Gell, ich hob's eich gedermt? Wehrt-er mit in's Betze gange, do hette mer dem Scheppe do sein Geburtsdook äwe so gut feiern kenne: jetz kannst-de bleche, Hannes.

ERSTER HANDLANGER. Ich wern mich doch, hol mich der Deiwel, net lumbe losse solle? Mammesell, wos kann mer dann zu esse krijje?

LISETTE. Ich will Ihne die Speiskatt bringe.

---

als eweil = einstweilen; Mack = Markt, der Viktualienmarkt neben dem Darmstädter Schloß; Gemaunz = weinerliches Getue; Gezäwwel = Gezappel, hier kleine Kinder; Raß = Rasse; des Ah = das Eine; bleeslich = bloß, nur, lediglich; iwwerensig = mhd. uberaenzec: übergenug; Vertelche = Viertelchen, 1/4 Schoppen Schnaps; herwachse lasse = herausrücken; gedermt auch gedärmt = tirmen lat. terminare: warnend oder drohend vorausgesagt; ins Betze = Kneipe, deren Besitzer Betz heißt; Scheppe = schief, krumm, häufig als Kosename gebraucht

DRITTER HANDLANGER (zum ersten). Du werscht die Krenk krijje!

ERSTER HANDLANGER (liest halblaut die Speisekarte). Sponsau – Hahne Be-af-steek – wos Deiwel is dann des, des laut jo wie e eigebahzt Kellerdihr – Haas – Gans – do mach ich mer all nix draus. Howwe-Se gute Hankees? bringe-Se Jedwedem ahn. – Brod brauche-Se kahns dabei. (Er schenkt ein.) Alleh, jetz singe mer ahns.

ZWEITER HANDLANGER. Do duhn mer owwer Die dort in ihrm Spiel stehrn.

ERSTER HANDLANGER. Des leit mer näwe enanner: mir vazehrn unser Geld grood so gut wie die. Alleh! (Sie singen.)

Lustig ihr Brihda,
Lustig, wos Dammstädta seyn!
Setzet eich nieda,
Trinkt ein Glas Wein! (Sie stutzen.)

KNERZ (sieht grimmig herüber). Wann die Kerl nor all Klees im Hals hette mit ihrm Gebrill!

DATTERICH. Des wehr-en wahß Gott kah Bosse.

ERSTER HANDLANGER. Kennt-er aach Bertrams Abschied? (Singt.) Leb wohl, du deires Land, was mich geboren – Ihr habt owwer aach werlich nor Stimme zum Keesfresse. (Singt.) Ich wor in Rom un Glickstadt sein Gefährte, Drum will ich's nun in Ulrichstein ihm sein.

DATTERICH. Der Stich is mei – ich haw-en gedrumbt!

BENNELBÄCHER. Langsam, erlauwe-Se: Sie howwe vohrt kahn Drumb mehr bekennt. Ihne ihr Spiel is drunne.

DATTERICH. Mei vadammte korze Aage – ich hatt's for Kreiz gehalte.

KNERZ. Wie mer sich ehrlich dorch die Welt schafft, net wohr, Herr Datterich?

DATTERICH. Gott behiht, Freindsche, uf Ehr, des war mei Absicht net. Ich will net hawwe, was recht is, des wisse-Se.

ERSTER HANDLANGER. Awwer etzt ufgemuckst – jetz kimmt des Schenst: des how-ich uf der Spachbricker Kerb zum erschte Mol singe hehrn (singt).

Ridda, dreie Schwestaliebe, Schwestaliebe,
Widmet eich dies Herz, juchhe!
Widmet eich dies Herz.
Fodert keine andre Liebe, andre Liebe,
Denn es macht mir Schmerz, juchhe!
Denn es macht mir Schmerz.

---

die Krenk krijje = die Kränke, Krankheit (Fallsucht) bekommen; eigebahzt Kellerdihr = eingebeizte Kellertür; damit soll etwas Unsinniges bezeichnet werden; Hankees = Handkäse; Alleh = frz. allez: wohlan, auf; näwe enanner = nebeneinander, des leit mer näwe enanner = es hat nichts zu sagen; Lustig ihr Brihda = Lustig Ihr Brüder, hess. Soldatenlied aus dem Anfang des 19. Jahrhunderts; stutzen = anstoßen; Klees = Klöße; Bertrams Abschied = Bertrands Abschied, ein damals beliebtes rührseliges Lied, worin General Bertrand von seinem Vaterland Abschied nimmt, um Napoleon freiwillig nach St. Helena zu folgen; Ich wor in Rom usw. = Ich war in Glück und Ruhm stets sein Gefährte, ich will es nun im Unglück auch ihm sein. Dieser Schluß wird von den Handwerkern ungewollt verballhornt; Ulrichstein = Städtchen im Vogelsberg, galt früher als das hess. St. Helena bei den Beamten; vohrt = vorhin; drunne = drunten, ihr Spiel is drunne = ist verloren, drunten durch; ufgemuckst = hergehört, aufgepaßt; Spachbricker Kerb = Spachbrücker Kirchweihfest; Ridda, dreie Schwestaliebe = Zersungene Form von Schillers Ballade „Ritter Toggenburg"

DATTERICH. Gott, wos gehn die Limmel mit dem scheene Gedicht um! So ebbes sollt mer vabiete: kah Orjelmann un so Mensche derfte mer dem Schiller odder sonst Ahm von unsere Dichter sei Lieder errunner dudele, sonst deht ich-en de Takt dazu uf dem Buckel kloppe losse.

BENNELBÄCHER. Mir zu Gefalle derfte-se singe, wos se wolle, nur sollte-se unser Spiel in Ruh losse.

DATTERICH. Jetzt sinn-en Gottlob die Meiler gestoppt; sie fresse Hankees, daß-en de Stab zum Hals eraus kimmt.

BENNELBÄCHER. Iwwrigens spiel ich jetz net mehr. Mei Frah springt mer an de Kopp, wann ich noch lenger ausbleib. Lisettche, wos how-ich vadient?

LISETTE. Sechs halwe Schoppe – des macht sechs und dreißig, e Breedche – zusamme siwwen-un-dreißig.

BENNELBÄCHER. Do hett ich mei Haushaldung zwah Daag mit fihrn kenne. Adjes, meine Herrn, en vagnihgte Nochmiddag!

DATTERICH. Komme-Se nach Drahse?

BENNELBÄCHER. Ehr wie net (ab).

ERSTER HANDLANGER. Wos sinn mer schullig, Mammesell?

LISETTE. Drei Kees un en Schoppe Wei – achtzeh.

ERSTER HANDLANGER. Hier. (Zu den andern, welche ebenfalls Miene machen, zu bezahlen.) Ihr laßt eier Geld im Sack -- heit loß ich kahn bezohle. (Die drei Handlanger ab.)

Erstes Bild – Dritte Szene

Datterich, Spirwes, Knerz, Lisette.

DATTERICH. Des is kah Wunner, Lisettche, wann die Werth reiche Leit gewwe un sich Schehs und Pährd halte kenne. Wann mer nor ahnimmt, was Die da in dähre korze Zeit vazehrt hawwe.

SPIRWES. Der is gewiß uf en Schaltdaak geborn, daß sei Geburtsdook blos alle vier Jahr fellt, weil er'n so schblendid gefeiert hot.

KNERZ. Gehn-Se mit?

SPIRWES. Rechtschaffe. (Sie bezahlen und gehn ab.)

DATTERICH (ruft ihnen nach). Serwidehr, meine Herrn, in Drahse heit Middag! (Zu Lisetten, indem er sich vor sie setzt.) No, wos fang ich ah, Lisettche, Deibche, Engelche, Herzgeboppeltes: all mei Freind lasse mich im Stich, awwer ich: – ich kann mich net von Ihne trenne. Gäwwe-Se mer noch en halbe Schoppe Rohde. (Sie bringt ihn und bleibt erwartungsvoll stehen.)

DATTERICH (breitet die Arme gegen sie aus und singt)

Versage, holder Engel,
Mir nicht den süßen Gruß,
Und fehlen mir die Gelder,
Bezahlet dich ein Kuß!

---

ebbes = etwas; Stab = Staub; Drahse = Traisa bei Darmstadt; Schehs un Pährd = Chaise und Pferd; Serwidehr = frz. serviteur, Diener; Herzgeboppeltes = Herzliebchen, bei dessen Anblick das Herz vor Freude bebt

LISETTE (lacht). Gott soll mich bewahrn un behihte! Da kehm ich schee ah, Sie dehte in lauter Kiß bezahle, bis der Keller leer wehr. Ich krie zwelf Kreizer.

DATTERICH. Holde Jungfrau, Frühlingsreesche, ich bin-der Ihne so blott wie e Kerchemaus. (Will einschenken.)

LISETTE (reißt ihm die Bouteille aus der Hand). So fett speise mer net, hehrn-Se! Wann-Se net bezahle, da werd nix vabummt.

DATTERICH (sucht in den Taschen). Sie sinn e kestlich Mädche. Da hawwe-Se sechs Kreizer uf Abschlag, die Kerl hawwe mer vohrt, Gott soll's wisse, iwwer finf Gulde abgenomme.

LISETTE. Aach noch hannele? Misse-Se rohde Wei trinke, wann-Se's net vastehn? (Trägt den Wein weg.)

DATTERICH. Grausamkeit, dei Name is Lisettche! Awwer ich vazeih Ihne – en halwe zu sechs!

Erstes Bild – Vierte Szene

Datterich, Schmidt setzt sich an einen andern Tisch und Lisette.

DATTERICH (für sich). Den kennt mer vielleicht melke, er hot so en gutmihdige Zug um die Noos erum. Lasse-Se emol des, Lisettche, ich will noch e Bisje pausirn. (Zu Schmidt.) Wolle-Se sich net liewer daher setze? Sie hawwe hier e besser Aussicht un kenne die Soldate vabeimaschirn sähe.

SCHMIDT. Wann-Se's erlauwe, da bin ich so frei.

DATTERICH. Sie hawwe mer so e bekannt Physionomie, ich mahn, ich mißt Ihne kenne. Sinn-Se net, um Vergebung, der Herr Assesser Ranft?

SCHMIDT. Sie vazeihe, ich haaß Schmidt un bin meiner Brofession e Dreher.

DATTERICH. Ach, alleweil kenn ich Ihne! Was haw-ich erscht Ihne Ihrn Herr Vadda so gut gekennt! Mer worn Dutzfreind. Er is doch recht gesund?

SCHMIDT. Vazeihe-Se, de Michelsdaak worn's siwwe Johr, daß er doht is.

DATTERICH. Mei schwernoths korz Gedächtniß: Ich war ja mit bei der Leich. Ja, so lahd hot mer noch Kahner gedah. – Also Dreher sinn-Se? Dazu braucht mer alleweil gescheite Leit: Sie scheine mer aach ganz des Schenie dazu zu hawwe, Sie hawwe so geistmäßige Aage.

SCHMIDT. Mache-Se mich net schaamrethlich.

DATTERICH. Die Wahrheit zu redde, liebes Freindche, des ziert de Mann: ich bin so e deitscher Michel, und sag's grad, wie mer'sch um's Herz is. Gut deitsch odder an Galje! Es freit mich werklich ausnehmend, so en liewenswerdige junge Mensche kenne zu lerne. Wie schmeckt Ihne der Wei?

SCHMIDT. Ach, er is net iwwel, soviel ich davoh vasteh – ich komm selte in's Werthshaus.

Kiß = Küsse; blott = arm, bloß, nackt: vabummt = verpumpt, geliehen; Grausamkeit, dei Name ist = Verballhornung von „Schwachheit, dein Nam' ist Weib", Shakespeare Hamlet I, 2; bisje = bißchen; Michelsdaak = Michelstag, 29. September; „Gut deitsch odder an Galje!" = Blüchers Trinkspruch 1813, Gießen

DATTERICH. Erlauwe-Se! (Versucht ihn.) Der is werlich recht gut – ich hatt da vorhin so en beese Rambaß. Lisettche, e Glas. (Zu Schmidt.) Nachher geb ich en Schoppe; ich wollt eigentlich fortgeh, awwer Ihne zu Gefalle will ich noch dableiwe.

SCHMIDT. Sehr schmeichelhaft.

DATTERICH. Also solid sinn-Se aach, komme net oft in die Werthsheiser – des gefellt mer ausnehmend, un seyn-Se iwwerzeigt, wo ich Ihne helfe kann, duh ich's: dann – (geheimnisvoll) wie Se mich da sehje, mei Stimm gilt ebbes an alle Kollege.

SCHMIDT (schüchtern). Derft ich Ihne froge, mit wem ich die Ehr –

DATTERICH (wichtig). Mei Name is Datterich. Gäjewertig bin ich ohne Amt – (hochtrabend) früher bekleidete ich eine Stelle im Finanzwesen – ich hab se niddergelehkt, dann Sie misse wisse – (geheimnisvoll) ich hatt en Große zum Feind – mei Verdienste um des Finanzielle sinn vakennt worn. Ich wollt beferdert sey – nix da! Do hobt-er aach Deß, haw-ich gesagt (mit einer Bewegung, als würfe er etwas hin) un hab mich in's bescheidene Brivatläwe zurickgezoge.

SCHMIDT. Ich wohlt, Sie hette des Amt noch, do kennte-Se villeicht mache, daß mich die Dammstädter als Mahster recebirn dehte.

DATTERICH. Lasse-Se mich gewährn. Ich sag's Ihne im Vadraue – es dauert kah halb Johr, do haaßt's: der Datterich is widder ohgestellt, un Selwiger is ab, un dann wer ich mich an Ihne erinnern: Sie sinn Drehermeister in Dammstadt! (Trinkt.)

SCHMIDT. Sie sinn sehr gihtig. Mammsell, noch e Budell! !

DATTERICH. Des reimt sich. Nemme-Se rohde, der is hier vorziglich.

SCHMIDT (zu Lisetten). Bringe-Se uns rohde! (Zu Datterich.) Enschullige-Se mei Freiheit, awwer es deht mer werlich nethig – ich bin jetz soweit in der Reih, awwer ich derf als noch net mei eige Werkstatt ufschlage: ich bin e Bessunger, un die Dammstädter wolle mich net ufnemme.

DATTERICH. Nor Geduld! (Scherzhaft drohend.) Hawwe-Se sich schon was ohgeschafft? Es is net gut, daß der Mensch allein sei; ich geb Ihne Beifall. Sie hawwe also schon so e lieb Mädche, wo uf Ihne baßt?

SCHMIDT. Ach – ja – so – net grood –

DATTERICH. In eme halbe Johr sinn-Se Mann und Frah. Ich laad mich eweil uf die Hochzeit ei. (Stutzt mit ihm an.) Uf die Brautleit! Sähe-Se, Freindche, ich bin der greeßt Freind vom Ehstand – un doch bin ich leddig.

SCHMIDT. Korjos! Un wie is des zugange?

DATTERICH. Des will ich Ihne sage. Auch ich war in Akadien geboren, sehgt Schiller; ich wor aach emol jung, un wann ich aach net Ihne Ihr ohgenehmes Eißere hatt, so hatte mich doch die Mäderger gern. Gewwe-Se Acht – ich erzehl's net gern, dann es is e drauerig Geschicht – awwer weil Sie's sinn – es wahß-es kah Seel – Ihne will ich's bei ere Flasch Rohde verdraue.

Rambaß = saurer Wein; Kollege = Behörden; recebirn = rezipieren, aufnehmen; als Mahster recebirn = als Meister anerkennen; in der Reih = in Ordnung; Bessunger = Bessungen, früher selbständiges Dorf; baßt = paßt, wartet; korjos = kurios; Akadien = Der Anfang von Schillers Gedicht: „Resignation"

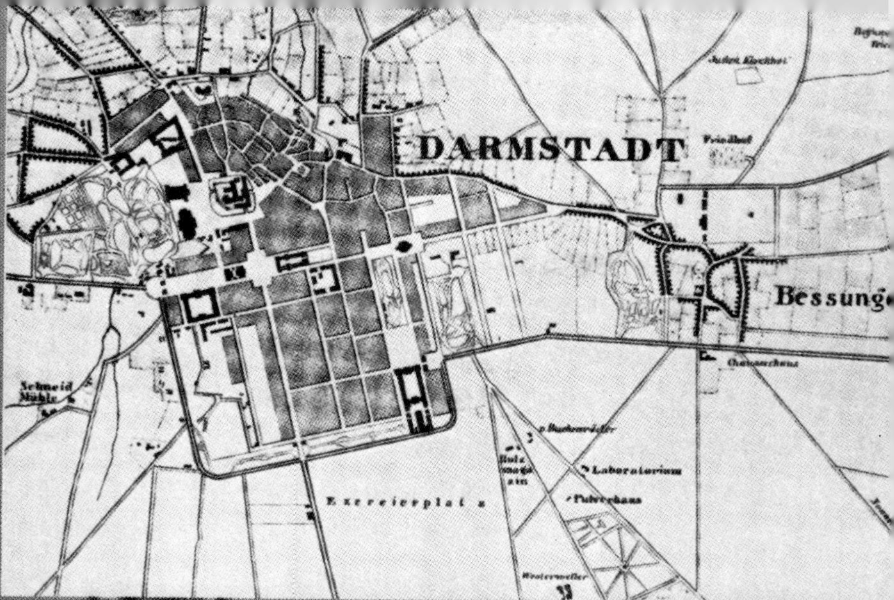
DARMSTADT
Bessunge
Schneid Mühle
Laboratorium
Pulverhaus

SCHMIDT (geschmeichelt). Mammsellche e Flasch Rohde.

DATTERICH. Asmannsheiser! Also gut, ich fang-der Ihne e Bekanntschaft mit eme Mädche oh – e wahrer Engel, e Staatsmädche war'sch: gescheit, brav, schee, heislich, korz Alles wor-se. Es wor so weit gut, unner uns wor Alles richtig – do kimmt ihr Vadda – des wor Ahner von dene Hochgestochene – un sehkt: Nein! – Ich leid's net, sehkt-er. Mei Luwische erzehlt mer des un die helle Drehne sinn er die Backe erunner gelaafe.

SCHMIDT. Des ohrm Mädche!

DATTERICH. Ja wohl, des ohrm Mädche! En Baron sollt-se heirahde. Sie kenne sich en Begriff von meiner Lag mache; awwer ich wor korz resolvirt. Des Läwen ist der Gihder hechstes nicht, haw-ich zu mer selbst gesagt, zieh mei schwatze Klahder ah un begeb mich in dem Baron sei Loschement: er hot owwe enuf im Drauwe loschirt.

LISETTE (für sich). Der lickt widder, daß die Balke krache.

SCHMIDT. Vagesse-Se des Drinke net. (Sie stutzen.)

DATTERICH. Wie ich hihkam, sitzt er in seim blimmige Schloofrock uf seim Kanebee un lutscht Kaffee. Ich guk-der'n Ihne oh, es wor e widderwertiger Mensch, un so derr, daß er e Gaas zwische die Herner hett kisse kenne. „Wer sind Sie?" frehkt er mich. Jetzt konnt ich awwer mein innerliche Gram net mehr zurickhalte. „Ich schreib mich Datterich un verlang Rechenschaft von Ihne iwwer mei gestehrt Läwensglick!" haw-ich gesagt un haw-en mit eme dorchbohrende Blick ohgeguckt. (Er springt im Affekt auf.) Mei Herr Baron hot e Gesicht gemacht, so lang! „Was scheer ich mich um Ihne Ihr Läwensglick", sehkt er iwwer e Weilche un steit uf. „Awwer ich scheer mich drum, Sie Donnerwedda!" kreisch ich un sterz uf en zu, da hot er awwer schon die Klingel gehatt und hot droh gerisse, daß die Kordel abgeplatzt is. Des war sei Glick. „Ich will Ihne nix Beeses winsche", sagt' ich, „awwer des Gewidda muß Ihne uf de Kopp fahrn!" Ich geh fort – uf de Drepp sinn mer vier Bediente begäjent un sinn all zurückgehuft, so schreckhaft haw-ich ausgesähe.

SCHMIDT. Des haaßt mer Korahsch.

DATTERICH. Ja, die besitz ich in eme hohe Grad. Gewwe-Se nor Acht, wie's weiter geht. Ich schick-der Ihne en gute Freind noch deselwige Daag in mein Drauwe und laß meim Bareenche sage, es sollt de dritte Daag an die Balleseich komme – dort wollte mer uns dreffe. Ich schieß-der Ihne nu, wie der Deiwel, misse-Se wisse; ich schieß-der Ihne e nassauisch Sechskreizerstick uf sechzig Gäng aus dem Maul, ohne daß ich Ihne de Mund verletz, wann's nor soviel erausguckt – nächstens wolle mer die Brohb mache.

SCHMIDT. Ich bin's aach so iwwerzeigt.

Asmannsheiser = Wein aus Aßmannshausen am Rhein; Hochgestochene = Hochnäsige; Drehne = Tränen; ohrm = arm; korz resolviert = kurz entschlossen; „Des Läwen ist der Gihder hechstes nicht" = Schiller: Braut von Messina; Drauwe = Hotel zur Traube; lickt = lügt, aber auch liegen; blimmige = geblühmt; derr = dürr; Korahsch = Courage, Mut; Balleseich = ob diese Eiche ein einzelner Baum oder ein Forst gewesen, läßt sich nicht feststellen; Sechskreizerstick = silberne Scheidemünze

1841
J. M. R.

JOHANN CHRIS
GASTGEB

AN FRITSCH SOHN
R TRAUBE

Seht hier den ältesten Verein,
Da möchte man wohl Mitglied seyn.
Doch darf ein Fremder hier nicht stören,
Will lieber sich von selbst vermehren.
Drum muß ich nun auch Mittel finden,
Solch lieblichen Verein zu
gründen.

DATTERICH. Also haw-ich mich vor meim Mann net geefercht. Der Daag kam; – er denkt mer mei Lebdaag: – es war grad Freidaag un die Judde hatte Lawerhitte: – un richtig, mei Baron kimmt ohgestoche mit noch eme Annere in Unneform.

SCHMIDT. No?

DATTERICH (langsam, stößt sein Glas kräftig auf). Mer schieße uns! Er hat de erschte Schuß. Batschdich peift mer sei Kuchel am Backebord vabei. Der Kerl macht kahn Spaß, dacht' ich bei mer selbst, du willst-em uf de Belz brenne, daß de'n los bist. Ich leg-der Ihne oh.–

SCHMIDT. Dem mog des Herz gekloppt howwe!

DATTERICH. Ob's em gekloppt hot! Mei Bareenche macht sich-der ganz klah, un so schmaal, so schmaal, er wehr Ihne dorch e Stoppnadelsohr gange. – Jetz how-ich en uf dem Korn – er war valohrn – sei Gesicht wor wie Keesmadde –

SCHMIDT. In Dem seiner Haut hett ich net stäcke mehje –

DATTERICH. Glaab's Ihne ohne geschworn. Awwer, basse-Se Acht, es sollt net so komme. Wie ich-der alleweil losdricke will, setzt sich-der so e Schmaaßmick, so ahner von dene dicke, blaue Schmaaßert, graad uf mei Visier un butzt sich ganz bumadig die Fihß. Ich schittel – des Oos bleibt sitze; – mei Gäjesekendant kreischt: „Schieße-Se doch, mein Herr, un zittern-Se net so!" – vastehn-Se, er hat geglahbt, ich deht zittern, weil ich die Oosemick erunner schittele wollt – „Ich zittre nie, Sie Dunnerwedda! es is nor e Schmaaßmick!" kreisch ich-em zu, un drick los – un dreff nix! (Faßt Schmidt beim Arm) un dreff nix!!

SCHMIDT. Ja, so e Schmaaßert! – Mer sollt's net denke.

DATTERICH. Sie hawwe Glick, sagt' ich; der Schmaaßert wor Ihne ihr Schutzengel. Jetz hat er widder de Schuß. Ich denk: adjeh Battie, un nemm mer vor, de Kerl gewiß net zu fehle, wann ich noch emol uf-en feiern deht; dann, des wußt ich, bei dem Racker hengt des Läwe an eme Zwernsfaden – do knallt's un ich lei uf de Erd un hehr nor noch, wie mei Gäjemann sehgt, der hot de Krach ohne Dokder. Ich war ohmechtig, ewäck, wie dem Bappe sei Duus, un wie ich widder zu mer komme bin, hatt mer die Kuchel de vorderschte Backe ufgerisse un ich hab dahahm in meiner Stub geläje.

SCHMIDT. Is des davoh do näwe an Ihne Ihrm Backebort?

DATTERICH. Des schreibt sich davoh her.

LISETTE (spöttisch). Ich mähn, ich wehr dabei gewäse, wie Se blessirt worn sinn.

DATTERICH. Sie, Engelche? Da hett ich gewiß mehr Glick gehatt.

LISETTE. Ohne Spaß. War'sch net selwigsmal, wie-Se den blatternarwige Krickmann draus im Heefche zum Beste hawwe hawwe wolle, un er hatt Ihne mit der Budell uf's Ohr gehaue?

DATTERICH. So schee Se sinn, so voller Uhz stäcke-Se. Awwer, Liebche, mache-Se so kah Späß, der Herr da kennt am End glahwe, es wehr so. Also weider –

SCHMIDT. Un Ihr Luwische?

Lawerhitte = Laubhüttenfest; ohgestoche = angestiegen; Keesmadde = Käsematte, Quark; Schmaaßmick = auch Schmaaßert: Schmeißfliege; Oos = Aas, Luder; kann verächtlich, doch auch unwillig bewundernd gebraucht werden. Auch in Wortverbindungen wie Oosemick, Oosedatterich; Gäjesekendant = Gegensekundant; adjeh Battie = adieu partie, die Partie ist verloren; Krach = Tod; der hat de Krach ohne Dokder: der ist tot, ärztliche Hilfe erübrigt sich; ewäck, wie dem Bappe sei Duus = weg, wie Papas verlegte Tabakdose

DATTERICH. Ich hab siwwe Woche uf'em Sack geläje. Endlich bei mei'm erschte Ausgang erfahr ich, daß ihr Vadda geschwind die Geläjenheit benutzt hatt un hot se mit dem Baron koppelirn losse. Sie wor'n uf sei Gihder in Holland: awwer es hot kah Verteljahr gedauert, da hot ihr Vadda in die Zeidung setze lasse: „Freinden und Verwandten zeige ich hiermit das frühe Hinscheiden meiner Dochda Luwise, verehelichte Baronin Dings, an und bitte um stille Beileidsbezeigungen."

SCHMIDT. Die hot der Kummer um's Läwe gebracht.

DATTERICH. Nix annerscht. O ich Unglicklicher, dacht ich, un seit dähre Zeit haw-ich mer vorgenomme, leddig zu bleiwe.

SCHMIDT. Sie hawwe's gehalte. Lisettche, do leit unser Schulligkeit.

DATTERICH (fährt in den Sack). Des kann ich net zugewwe!

SCHMIDT. Sie nemme dem Herr nix ab.

DATTERICH. Lisettche, unnerstehn-Se sich un lasse-Se sich von dem Herr – (rasselt mit den Schlüsseln in der Tasche.)

LISETTE (spöttisch). Ach, Herr Datterich, duhn-Se nor die Hand aus-em Sack: ich wahß ja, wie die Akzje stehn.

SCHMIDT (zu Datterich). Sie beleidige mich –

DATTERICH. No, wann des is, da wolle mer'sch gut sei lasse – uf e annermol is die Reih an mir.

LISETTE (für sich). Ja, wann die Kuh en Batze gilt.

DATTERICH (zu Schmidt). Wo enaus zu's gehn-Se?

SCHMIDT. In die Schloßgaß.

DATTERICH. Da geh ich e Stick Wähks mit Ihne. No, Lisettche, gäwwe Se mer zum Abschied noch e Kußmeilche.

LISETTE (für sich). Uf's Maul schmeiße will ich-der. (Laut.) Gehn-Se nor fort.

DATTERICH (pathetisch). Sie sähe mich net ehr widder, Sie Grausame, als bis –

LISETTE. No?

DATTERICH. Heit Awend, wann ich von Drahse hahm komm. (Beide ab.)

Der Vorhang fällt. Ende des ersten Bildes.

Zweites Bild – Erste Szene

Traisa. Wirtschaftslokal im Freien. Auf der einen Seite des Vordergrundes sitzt Dummbach, seine Frau und Tochter, auf der anderen Bennelbächer und Spirwes.

DUMMBACH. Ich geh net gern an so Orde, wo mer kah Zeidung zu läse krickt.

MARIE. No Vaddache, wann mehr hahm komme, les ich se Ihne all vor.

DUMMBACH. Ich bin werlich gespannt uf die Franzose. Eh mer sich umguckt, hot mer se widda un werd-se so bald net los: dann des is so ihr Art, daß se de Krieg in annern Lender spiele.

---

koppelirn = kopulieren, ehelich verbinden

FRAU DUMMBACH. Do kennt mer widda de ganze Daag am Hährd steh un kennt franzeesch Supp koche.
DUMMBACH. Allerdings. Iwwrigens haw' ich aach, wie ich äwe bemerk, die Beilag im Sack stäcke. (Zieht ein Zeitungsblatt hervor und liest.)
MARIE. Daß der Schmidt net komme is, wo er sich doch denke konnt, daß mer spazirn geh dehte.
DUMMBACH. Er werd bei de Gemahnderäth erum laafe, daß se'n ohnemme.
SPIRWES (am andern Tisch). Unsa guta Datterich bleibt aus. Wann er nor do wehr, do kennte mer doch e Spielche mache.
BENNELBÄCHER. Ich for mei Dahl spiel net mehr mit em; ma kann nor bei em valihrn. Mit seine poor Batze, wo er in seim brodkrimmelige Sack hot, will er Ahm des Geld erausluppern: wie er gewinnt, do werd's vafresse un vasoffe, un Ahm sei Geld is aus dem Spiel. Valihrt er, do bleibt er'sch Ahm schullig un mer krikt nix, un iwwadem bemohkelt er, daß mer'm net genug uf die Finger gucke kann. Mich soll er lahfe losse.
SPIRWES. No, jeda Mensch hot sei Schwachheite.
DUMMBACH (zu seiner Frau). Do driwwe sitzt aach der bees Spirwes. Deht er mer mei Rechnung bezohle. (Spirwes sieht herüber.) Fellmich, Herr Spirwes! Aach erausgange bei dähre scheene Witterung?
SPIRWES. Ja, bei so schee Wedda muß mer sich eraus mache.
DUMMBACH (für sich). Awwer wort, ich will-der des Geld noch aus de Rippe bringe!
SPIRWES (leise zu Bennelbächer). Daß der Deiwel aach grood den Kerl herfihrn muß!
DUMMBACH (zu seiner Frau). Do findt mer die beese Kunne. For'sch Werthshaus howwe-se Geld.
SPIRWES (zu Bennelbächer). Do will mer sich e Vagnihje in der freie Nadur mache, un steeßt gleich uf so en Liewe, der'sch Ahm nicht gennen duht.
FRAU DUMMBACH (zu ihrem Mann). Ärjer dich nor net.
BENNELBÄCHER (zu Spirwes). Schlage-Se sich-en aus dem Sinn, ich mahn, er mißt des Wohrte bei Ihne gelernt howwe.

Zweites Bild – Zweite Szene

Die Vorigen. Datterich, gleich darauf Schmidt.

DUMMBACH. Do kimmt noch Ahner von de siwwe Sihße; der hot noch gefehlt.
MARIE (ängstlich). Ach Gottche, ma mahnt, der Schmidt wehr bei-em.
DUMMBACH. Es hot sei Richtigkeit – er is es.

---

brodkrimmelige Sack = Hosentasche, in der sich meist nur Brotkrümel vorfinden; erausluppern = herauslocken; Fellmich = empfehle mich; Kunne = Kunden; Vagnihje = Vergnügen; siwwe Sihße = sieben Süße, eine Schar Nichtsnutze. Offenbar Anspielung auf irgendein einheimisches Septett

FRAU DUMMBACH. E sauwer Gesellschaft, des muß ich soge.
DATTERICH (zu Spirwes und Bennelbächer). Willkommen, meine Freinde!
SPIRWES. Mer howwe gemahnt, Sie kehmte net.
DATTERICH. E Deitscher helt sei Wort: wann's Mihlstah geräjent hett, wehr ich ohne Barbleh drunner hergange. (Nachlässig.) Wie is der Eppelwei? (Nimmt Bennelbächers Glas und trinkt.)
BENNELBÄCHER (nimmt ihm das Glas vom Mund). Bleiwe-Se nor net aus!
DATTERICH. Die Brih hat so e ahgenehm Essigseire. (Zu Schmidt.) Was trinke m i r dann, Freindche? (Indem er ihn vorstellt.) Sie sähe hier en neie Freind, de ohgehende Drehermeister Schmidt.
BENNELBÄCHER (zu Spirwes, leise). Den werd-er gut auszukkele.
SCHMIDT (bemerkt jetzt erst die Dummbachische Familie und geht zu ihr). Ach, Sie sinn aach da? Wie steht's, Marieche?
MARIE. Recht gut, Kall. Warum bist-de dann net mit u n s gange?
DUMMBACH. Mer hatte zu-der geschickt, du wor'st awwer net dehahm. Wie kimmst-de dann zu Dem, den wo de do bei-der host?
SCHMIDT (geheimnisvoll). Des sag ich Ihne uf e annermol. (Leise zu Marien.) Er macht, daß ich recebirt wer.
MARIE. O geh, loß dich nix weis mache: der macht-der kahn Somma un kahn Winda.
SCHMIDT. Do host-de de Vastehtermich net davoh. Ich wer wisse, was ich wahß.
DATTERICH (nähert sich, sehr artig). Gehorschamer Diener, Herr Dummbach. (Deutet auf die daliegende Zeitung.) Es steht alleweil blitzwenig drin.
DUMMBACH. Doch, vazeihe-Se, wer die Verhältnisse vasteht, wo äwe in Eiroba ihrn Umlahf howwe, der findt des Wichtigste in de geringste Nachrichte. Zum Exempel, wann do steht: der un der Ferscht macht e Raaß do un do hih, do raast er net for sei Bläsihr wäje, sonnern des hot sei bolitische Naube. Vastehn-Se? So is-es mit Allem.
DATTERICH. Was Sie awwer aach so genau unnericht sinn!
DUMMBACH. So is-es mit Allem. Zum Beischbiel: Die Franzose vagrehßern sich uf Unkoste annerer unsivelisirder Nazione in Afrika, um de Russe de Wähk nooch dem Kaukasus obzuschneide. Allgemei hehrt ma von Iwwerschwemmunge; die Vikdoria hot dahfe losse, un, wann ich mich net err, die Gloria aach; ferner: Alles rist't; die Franzose hawwe Geil im Vogelsberg gekaaft, un der Kenig von Werdemberg schickt exbräß Leit nooch Persje, daß se Geil hole. Mahne Sie, all' diese Ereignisse wehrn so per Zufall?
DATTERICH (der sehr aufmerksam zugehört hat, zuckt die Achseln). Ja, da leßt sich Manches driwwer redde.

Mihlstah = Mühlsteine; Barbleh = frz. parapluie: Regenschirm; auszukkele = aussaugen; Vastehtermich = versteht er mich; Verständnis; Raaß = Reise; Naube = Naupen, geheime Tücken; die Vikdoria hot dahfe losse = Königin Viktoria von England (1819–1901) ließ ihre Tochter am 10. Februar 1841 taufen; die Gloria aach = Maria II. da Gloria (1819–1853), Königin von Portugal. Wurde nicht getauft; Dummbach irrt; Geil = Gäule

DUMMBACH. Alleweil werd Bahris inwennig un auswennig mit Fordifikazione vazingelt, daß Kahns eninn un eraus kann – ich wahß net, wieviel Thern's ellah gäwwe – Dann (Datterich verrät Zeichen der Ungeduld.) – Dann – hehrn-Se mich aus. – Der Don Kallos sitzt in seim Frankreich und die Christine in ihrm Neapel; (nimmt eine Prise) in Erland sinn die Leit des ewig Kadoffelfresse mihd, weil-en der O'Connell gesagt hat, es gehbt noch bessere Speise: die Schwäwelfrag mit Neapel is zwar so weit erleddigt –

DATTERICH (höflich unterbrechend). Die Großzimmerer solle e Gesandschaft geschickt hawwe: sie hette dorch die Streichfeierzeige schon so viel Schade, un wehrn rujenirt, wann ach noch der Schwäwel ufschlage deht.

DUMMBACH. Des is mer unbekannt. Allein in der Schweiz balge sich die Herner mit de Klaue erum; in Hannover is mer mit der Verfassung noch immer in unwilliger Beziehung; in Pordegal hat mer neierdings Insurgente entdeckt: – Wann mer nu Des all zusamme nimmt: – was halte S i e von der Sach?

DATTERICH. Schlimm, sehr schlimm, uf Ehr.

DUMMBACH. Während dem Des vorgeht, sitzt der Suldan in seim Diwan un lacht ins Feistche. Der baßt blos druf, bis sich ganz Eiroba an de Kepp hot: dann kimmt e r. Mir erläwe's net, awwer Sie wern sähe, daß ich recht hob: in fufzig Johr sinn mer all Derke!

DATTERICH. Der Deiwel, do derfe mer ja kahn Wei mehr drinke!

DUMMBACH. Wos halte-Se iwwrigens von der spannische Fraag?

DATTERICH. Ja, da wahß kah Staatsmann e gescheit Antwort druf.

DUMMBACH. Ich wahß es awwer: des werd noch gedahlt, wie Bole. Dann in Algier –

DATTERICH. Vazeihe-Se, ich hab ebbes Nehdiges mit eme Herr dort zu redde – mer setze nachher des intressante Gespräch fort. (Datterich und Schmidt gehen an den andern Tisch.)

SPIRWES. Hot er Ihne de Sack voll Brofezeihunge gäwwe?

DATTERICH (setzt sich). Ich hob satt. Awwer, meine Herrn, wolle mer net e Bisje in Wolfgang Reiters zwei un dreißigblättrige Gebetbuch blättern?

Bahris = Paris; vazingelt = umzingelt, befestigt; Thern's = Türme; Don Kallos = Anspielung auf das wechselvolle Schicksal von Don Carlos (1788–1855), dem zweiten Sohn des spanischen Königs Karl IV. Er lebte zu der genannten Zeit auf Schloß Bourges im Exil; Christine = (1806–1878), seit 1829 Gemahlin des Königs Ferdinand VII. von Spanien; nach seinem Tod, 1833, Regentin von Spanien, sie dankte 1840 ab; O'Connell = Daniel O'Connell (1775–1847), nationaler irischer Politiker, Gegner der Union zwischen Großbritannien und Irland; Schwäwelfrag = Schwefelfrage, ein Streit zwischen England und Neapel um das Monopol des Schwefelhandels in Sizilien, geschlichtet zu Gunsten Englands 1840; Großzimmerer = Leute aus Groß-Zimmern, Gemeinde in der Nähe Darmstadts; betrieb eine rührige Schwefelhölzerindustrie; Herner – Klaue = Hörner – Klauen. In der Schweiz balgen sich die „Hörner" mit den „Klauen", d. h. die Konservativen mit den fortschrittlichen Parteien. Im Kanton Schwyz wurden die reichen Besitzer von Hornvieh „Hornmänner" und die Ärmeren, die nur Klauenvieh besaßen, „Klauenmänner" genannt. Die Kämpfe spielten sich in den dreißiger und vierziger Jahren ab; Insurgente = Aufständische, für die 1840 in Portugal besondere Gerichte eingesetzt wurden; Kepp = Köpfe; Derke = Türken; gedahlt, wie Bole = geteilt, wie Polen; Wolfgang Reiters zwei un dreißigblättriges Gebetbuch = Kartenspiel. Wolfgang Reuter betrieb in der Mitte des 19. Jahrhunderts in Darmstadt eine Spielkartenfabrik

BENNELBÄCHER (kurz). Ich spiel net.

DATTERICH. Korjos. No, da vertreiwe mer uns die Zeit mit unnerhaltende Reddensarte. Was gilt alleweil e Batzelaabche?

SPIRWES. Frooge-Se, wos e Batzestrick kost, ich kaaf Ihne ahn.

BENNELBACHER. Sie wehrn e wohrer Zierrath for en Galje.

DATTERICH (mit einem Blick auf Schmidt). Bscht! Menaschirn-Se sich, Freind!

BENNELBÄCHER. No, es wor gut gemahnt.

FRAU DUMMBACH (zu Marien). Sie howwe schunt die zwaht Budell.

MARIE. Und der Schmidt hot-se alle bahd bezahlt.

DUMMBACH. Von dem Mensche muß er sich losse, obwohl er sehr verninftige Einsichte in der Bolidik hot – sunst –

FRAU DUMMBACH. Do kann er sei poor Kreizer los wern.

DATTERICH. In Nirnberg werd iwwermorje e Selbstmerder gekeppt.

SPIRWES. Ja, dort sinn se schwernothsstreng.

DATTERICH (zu Bennelbächer). Hawwe-Se aach Ebbes for des Hermanns-monement unnerschriwwe?

BENNELBÄCHER. Wann ich des Geld zu fresse hett! Mir setzt aach Kahner ahns, wann ich emol doht bin.

DATTERICH. Sie läwe im Gedächtniß von Ihre Freind, da braucht mer kah Monement.

SPIRWES. Warum will mer dann Dem z w a h setze?

SCHMIDT. Wie so zwah?

SPIRWES. In Mainz steht jo schon ahns; es wor doch Der, wo die Buschdawe erfunne hot?

DATTERICH. Nein, liewer Freind, des war e ganz Annerer: Der hat Deitschland befreit.

SPIRWES. Ganz wohl, des wisse mer aach, awwer er hot Blicher gehaaße, des wor der Maschall Vorwerts.

DATTERICH. Aach net. Der Hermann hat vor lange Zeite geläbt un hot die Remer abkamesolt.

BENNELBÄCHER. Ich will nix von dene Monemente wisse. Ich wor in Gernsem, wie se dem Scheffer do ahns gesetzt howwe: Gott, wann ich noch droh denk! Mer hot gemahnt, der Deiwel hett sein Sack mit Mensche ausgeleert gehatt: Alles wor-der Ihne sindedeier und for sei Geld hot mer net emol ebbes krije kenne. Mei Frah is mit Ahm Schuck hahmkumme un mir hat so e Rheiflejjel mei Peif aus dem Maul gestoße, daß se kabutt gange is. Ahmol bei eme Monement un net mehr.

SPIRWES. Do howwe-Se ganz mei Reljon.

Batzelaabche = kleiner Laib Brot, der einen Batzen kostet; menaschirn = frz. ménager: mäßigen; Hermannsmonement = Hermannsmonument auf der Grotenburg bei Detmold, für dessen Errichtung damals Geld gesammelt wurde; Buschdawe = Buchstaben; abkamesolt = abkamisolt, aus Jacke und Kamisol (Wams) geklopft; Gernsem = Gernsheim am Rhein, unweit Darmstadts; Scheffer = Peter Schöffer (etwa 1450–1502), Mainzer Drucker. Ihm wurde am 9. Juni 1836 in Gernsheim ein Denkmal gesetzt; sindedeier = sündhaft teuer; Schuck = Schuh; Rheiflejjel = Rheinflegel; Reljon = Religion, hier: Überzeugung

DATTERICH. Sie sinn mer scheene Padriote! Wann der Hermann net gewäse wehr, do hette die Remer Deitschland ganz unnerjocht.
SCHMIDT. Alleweil dehte mer vielleicht ladeinisch schwätze.
BENNELBÄCHER. Des wehr recht gut, do deht mer doch aach dene Advekate ihr ladeinische Brocke vasteh.

Zweites Bild – Dritte Szene

Die Vorigen. Zwei Spielleute, ein Geiger und ein Klarinettenbläser, treten auf.

SCHMIDT. Des is dem Paganini sei Bruda.
DATTERICH. Wos? Ei der kann's noch besser; dann der Paganini geit blos uf a h n e r Seit, un D e r uf d r e i.
SPIRWES. Ja, un gibt's doch wolfeler.
BENNELBÄCHER. Mer wollen-en en Grosche gäwwe, daß se ufhehrn.
MARIE (zu ihren Eltern). Horcht-er? sie spiele en Kerwewalzer, den how-ich uf der Bessunger Kerb vorm Johr mi'm Kall gedanzt.
FRAU DUMMBACH (zu ihrem Mann). Er laut fast grood, wie der Straußisch Walzer, der uf unserer Hochzeit gespielt worn is.
DATTERICH (zu Schmidt). Hawwe-Se kahn klahne Grosche? Ich mehkt net wächsele lasse. (Schmidt gibt ihm den Groschen.)
DATTERICH (zu den Spielleuten). He! Bscht! Freind, mit Eierer Gei!
DER GEIGER (kommt näher). Solle mer emol spiele: „In der Stadt Mainz war ein Soldat?"
DATTERICH. Ich wohlt, Ihr wehrt bei-em. Da is e Grosche: wann-er gar net gespielt hett, hett-er sechs Kreizer krickt.
DER GEIGER (steckt den Groschen ein). Sie vastehn kah Kunst.
DATTERICH. Gebt uns e sterker Drommelfell, dann vastehn mer-se ehr. (Der Geiger geht brummend an den andern Tisch.)
DUMMBACH. Ihr hobt Eier Sach recht gut gemacht. Da (gibt ihm Geld) do dafor spielt-er uns noch de Lauderbacher. (Die Spielleute beginnen ihre Musik wieder.)
DATTERICH. Trinke-Se schnell aus, meine Herrn, die Kerl geie un blose uns de Eppelwei noch sauerer. (Hält sich die Ohren zu.) Wann se ufhern, meine Herrn, sage-Se mersch, dann ich hab mei Ohrn net gestohle.
SPIRWES. Wos der Kerl an seiner Klanett kaut!
(Datterich fängt an zu pfeifen.)
DER GEIGER (tritt giftig auf ihn zu). Uhze Sie sich mit annern Leit, wann-Se wos wisse wolle! Gucke-Se en annern Wähk, wann-Se unsa Spiel net hehrn wolle odder ich haag Ahm die Gei uf die Badderie, daß er des Zawwele krickt, Sie –

---

wolfeler = wohlfeiler; Kerwewalzer = Kirchweihwalzer; Lauderbacher = ein früher beliebtes Tanzlied („Z' Lauterbach hab' ich mein Strumpf verlorn"); Klanett = Klarinette; haag = hauen, schlagen; Badderie = Batterie, hier: Kopf; Zawwele = Zappeln, Krämpfe

DATTERICH (kaltblütig zu den andern). Guckt emol de beleidigte Kinstlerstolz! (Zu dem Geiger.) Ich will Eich emol en Roth gäwwe: kinftig fihrt als Bahwoll nach un dahlt-se an die Zuherer aus, eh-Er mit Eierm Concert ohfangt, dann werd sich Kahner die Ohrn zuhalte, mei liewer Kratzmichel.

DER GEIGER. Sie sinn mer vieler zu schleecht –

DATTERICH. Geit Eich hahm un vaderbt des Wetta net!

SCHMIDT. Laßt Eier Grobheite un geht Eiern Wähk!

DATTERICH. Macht e Paus, Liewer, die hehr ich von Eich am Allerliebste.

DER GEIGER (boshaft). Jetz grood net. (Er winkt seinem Begleiter und die Musik beginnt von neuem; Datterich hält sich die Ohren zu; die Musikanten gehen spielend ab.)

DATTERICH (ruft ihnen nach). Halt! Kommt iwwermorje zu mer, ich hab Meis in meiner Stub, Ihr sollt mer e halb Stunn musezirn, daß se kabutt gehn!

SPIRWES (zu Datterich). Der hot Ihne emol de Krage erausgemocht

BENNELBÄCHER. Ich hett mersch von so eme Bellmann net gefalle losse.

DATTERICH. Was wollt ich dann mit-em mache? So e Mensch is kah Gäjestand for mein Zorn: je mehr so Ahner um sich speit, desto mehr Spaß macht mer'sch. So wollt ich's grad hawwe.

DUMMBACH. Mer mahnt Wunner, wos der for e diffesil Gehehr hett. Der Mann hatt ganz Recht: ich loß mer aach mei Mettjeh net stumpirn.

FRAU DUMMBACH. Es zickt owwer do, wie all nix guts. Mer wolle uns liewer in e Stubb setze.

MARIE. Ja, sonst howwe-Se morje widder en Backe, so dick.

DUMMBACH. Mer mahnt, Ihr Weibsleit wehrt von merwe Daaig. No, so kummt. (Sie gehen ab.)

DATTERICH (zu Schmidt). War des Diejenige, welche – (Schmidt nickt mit dem Kopfe.)

DATTERICH. Net iwwel. Wann's Ihne Spaß macht, will ich Ihne emal morje e Mädche weise – es is e Bäsche von mer: da gucke-Se sich die Aage blind, un, wos des Best is, sie hat Majes un ihr Vadda sitzt im Gemahnderath.

BENNELBÄCHER. Herr Datterich, ich hab kah Geld mer bei mer, wolle-Se mer gefelligst die nein un dreißig Kreizer gäwwe, wo Se mer am vawichene Mondaag schullig gebliwwe sinn?

DATTERICH (stellt sich, als höre er es nicht). Der alt Dummbach is werlich der greeßt Zeidungsna(rr), den mer zwische-m Rhei un Mai finne kann.

BENNELBÄCHER. Guck, do will des Oos nix hehrn!

DATTERICH. Meine Herrn, ich stimm davor, daß mer noch e Bisje uf's Dippels Hof geht, do is äwe e Bergsträßer, der sucht seines Gleichens, uf Ehr.

BENNELBÄCHER. Wann ich mit soll geh, do gäwwe-Se mer die bewußte nein un dreißig Kreizer.

Bahwoll = Baumwolle; schleecht = dumm, blöd; de Krage erausgemocht = in Ordnung gebracht, in gehörige Grenzen verwiesen; Bellmann = Bettelmann; difensil = diffizil, schwierig, heikel; Mettjeh = frz. métier: Handwerk, Beruf; stumpirn = beschimpfen, verächtlich machen; merwe Daaig = Mürbeteig; Majes = jidd. Geld; Dippels Hof = bis Ende des 19. Jahrhunderts Ausflugsort bei Traisa, nach seinem ehemaligen Besitzer genannt; Bergsträßer = Wein der Bergstraße

DATTERICH. Des hätt ich vagesse. No komme-Se nor, uf dem Dippelshof solle-Se's hawwe – (Zu Schmidt.) Sie gehn doch aach mit uns?

SCHMIDT. No ja; eigentlich sollt ich mich e Bisje mehr um de Herr Dummbach bekimmern, er hot gern, wann ich-en e Bisje unnerhalt.

DATTERICH. Wann-Se e Zeidung wehrn, hett-er Ihne noch liewer.

SPIRWES. Worum soll dann net do gebliwwe wern?

DATTERICH (deutet hinter die Kulissen). Dort gucke-Se! Kenne-Se Den?

SPIRWES (steht schnell auf). Der Deiwel, des is jo der grob Bengler. Alleh, meine Herrn, dem mag ich net in die Kralle falle.

DATTERICH. Haw-ich's net gesagt? Der kennt Ahm die Seel aus dem Leib reiße un mit Fihße druf erum drähte, so en Gift hat er, wann mer emal e Rechnung e halb Johr lenger steh leßt. Wos e Glick, daß er uns net kennt, dann es is e schähler Giwick.

SPIRWES. Ja, Gottlob, uf zwanzig Schritt kann er en Mensche net von eme Schaaf unnerscheide.

DATTERICH. Es gibt Mensche, bei dene kann ich aach de Unnerschied net finne, un wann ich an ihrer Seit geh. (Er geht an Spirwes Seite nebst den übrigen ab.)

(Der Vorhang fällt. Ende des Zweiten Bildes.)

Drittes Bild – Erste Szene

Morgens. Datterichs Dachstube. Die Gerätschaften bestehen in einem zerbrochenen Spiegel ditto Tisch, einem Stuhl und Bett. Datterich sitzt in einem zerrissenen Schlafrock vor dem leeren Tisch und gähnt. Es schlägt neun Uhr.

DATTERICH. Ja wohl, die Morgenstunde hat Gold im Munde, absonnerlich, wann mer se vaschläft. In der Klaß bin ich gelernt worn: aurora musis amica, des haaßt uf Deitsch: Morjends schläft mer am Beste. Ach, mei schenste Stunde wohrn in der Klaß die, wo ich geschwenzt hob! Do kimmt mer awwer immer gäje nein Uhr die Sonn grood uf mei Bett un stehrt mich in meiner Nachtruh, und wann die's net is, do sinn's annern Leit. (Nochmals gähnend.) Wie werd mer sich dann heit dorchschlage? (Es klopft an.) Aha, die Morjendvisite gehn schon widder oh. Herein!

Drittes Bild – Zweite Szene

Datterich, Schneider Steifschächter.

STEIFSCHÄCHTER. Scheene gute Morje. Ich muß mich doch aach emol nooch Ihne Ihrm Befinne erkundige.

---

schähler Giwick = scheeler (schielender) Kiebitz; absonnerlich = zumal, besonders

DATTERICH (zuvorkommend). Setze-Se sich, liewer Freind. (Für sich.) Der Mann muß heeflich dracdirt wern. (Laut.) Mei Befinne? daß Gott erbahrm! Schlecht, sag' ich Ihne, sehr schlecht. Alleweil die Minut haw-ich e Abdeekerrechnung bezahlt, finf un verzig Gulde, siwwenen zwanzig Kreizer, da schmelzt Ahm sei Bisje Baarschaft zusamme: des als fort Doktern, des hot was uf sich. Sie sinn doch recht gesund? des Aussähe bringt's mit sich. Was mache die Frau Gemahlin un die liewe Kinna? Alles noch wohl uf, hoffentlich.

STEIFSCHÄCHTER (seufzt). Gottlob, soweit is noch Alles gesund; kost Ahm viel Mih, soviel Drawante die Meiler zu stoppe – ich wohlt deswäje –

DATTERICH. Ach deß muß Ihne Spaß mache! E brav Frah, wohlgezogene Kinna, e gut Geschäft –

STEIFSCHÄCHTER. Ja, wann die Zeite net so schlecht wehrn. Des kost alleweil e Hitz, bis mer sei Geld eitreibt.

DATTERICH. Ich glahb's gern, ich wahß ja, wie mir'sch mit meine Ausstende geht. Hawwe-Se die gästrig Zeidung geläse?

STEIFSCHÄCHTER. Nah. Ich wollt Ihne nu bitte –

DATTERICH. Ach die hette-Se läse misse! Von dähre derkische Flott –

STEIFSCHÄCHTER. Ich kimmer mich wenig um des, wos außerhalb vorgeht. Sie erlauwe – die Ostermeß is vor der Dihr –

DATTERICH. Ja, sie muß bald ohfange. Un wos wannert widder e Menschespiel nach Amerika aus!

STEIFSCHÄCHTER. Ich hett aach Lust, awwer die viele Rickstende! bis mer die erbeischafft! Sie wern's net ungihtig nemme –

DATTERICH. Folge-Se meim Rath! Bleiwe-Se im Land: e Handwerk hot hier zu Land als noch sein golderne Boddem.

STEIFSCHÄCHTER. En scheene. Ich hob Ihne da die olt Rechnung.

DATTERICH (nimmt sie). Scheen. Ich schick's Ihne.

STEIFSCHÄCHTER. Kennt ich's dann net glei mitnemme? Ich hob wos zu bezohle –

DATTERICH. Ach, e Mann, wie Sie, werd doch net so ufgebrennt sei. Daß ich aach vohrt do des Geld in die Abbedeek schicke muß! Bis Samstag Morjend hawwe-Se's.

STEIFSCHÄCHTER. Ja, Sie hawwe mich awwer schun so oft vadreest.

DATTERICH. Ich wer Ihne aach noch dreeste. Sie sinn e eisichtsvoller Mann, nor e Bisje Geduld. Uf dem Knie leßt sich so ebbes net abbreche. Bezahle, wann mer Geld hat, des is kah Kunst: awwer bezahle, wann mer kahns hat, des is e Kunst, liewer Mann, un die muß ich erscht noch lerne.

STEIFSCHÄCHTER (steht seufzend auf). Also bis Samstag gewiß?

DATTERICH. E Mann e Wort.

STEIFSCHÄCHTER. No, do soog ich Adjeh. (Ab.)

DATTERICH. Adjeh, mein liewer Freind.

Abdeekerrechnung = Apothekerrechnung; als fort Doktern = ständig, in einem fort zum Arzt laufen; des Aussähe bringt's mit sich = nach dem Aussehen zu schließen; Drawante = Trabanten; Dihr = Tür; Menschespiel = Menschenmenge

Drittes Bild – Dritte Szene

DATTERICH (allein). Da lernt mer Menschekenntniß! Iwwrigens laß ich heit noch den Rijjel an der Dihr mache: for eich Quelgeister bin ich net dahahm. (Es klopft an.) Numero zwei. (Nimmt eine Prise.) Herein!

Drittes Bild – Vierte Szene

Datterich. Ein Wirtsjunge.

WIRTSJUNGE. E Kumblement von meim Herr un Sie sollte doch endlich emol Des bezohle, ehr sollt ich net fortgeh.

DATTERICH. No, do setz dich. Die ahzigliche Reddensarte hett dei Herr sporn kenne: wieviel macht's?

WIRTSJUNGE. Acht Gulde un siwwe Batze.

DATTERICH. Mehr net? (Greift in den Sack.) Mit Koborjer Grosche werd dei Herr aach zufridde sei –

WIRTSJUNGE. Do sollt' ich schee ohkomme, wann ich-em die bringe deht; letzt hott er mich erscht driwwer geschendt, do hatt ich ahn ufgehenkt krickt.

DATTERICH. Duht mer lahd. Do soog deim Herr, mei Kaß bestind in lauter degradirte Koborjer Stiefgrosche, un mei Verhältnisse dehte mer net erlauwe, daß ich se unner ihrm Werth losschlage deht: mit neie Guldesticker kennt ich-em awwer vor der Hand net ufwarte. Dazumal, wie ich den Wei bei-em gedrunke hab, hawwe die Koborjer noch gegolte; da soll er also aach sein Wei um die Hälft erunner setze, sag-em, dann ließ ich mer aach die Grosche zu sechs Heller gefalle. Adjeh!

WIRTSJUNGE. Der werd e schee Gesicht mache. (Ab.)

Drittes Bild – Fünfte Szene

DATTERICH (allein). Wann Kahns m e h r an de Koborjer valohrn hat, als wie ich, do macht gewiß Kahner Bankrott. Mir zu Gefalle hette alle Ferschte von Eiroba ihr Minz erunner setze derfe, dann ich hatt nix, ich hob nix, un wer nix hawwe. Geh emol her du ohrm Greschje! (Zieht einen Koburger aus der Tasche.) Gell dei Herr Vadda will nix von der wisse un die Zeit is der lang worn in dem Sack, wo de gor kah Kamerade hast? No, wort, Herzje, ich bring dich doch unner die Leit, du sollst e lustig Herrschaft krijje, ich geb dich de Musegande. (Er betrachtet den Groschen mit Rührung.) Dreest dich

---

Rijjel = Riegel; Koborjer Grosche = die sachsen-koburgischen Dreikreuzerstücke wurden 1838 außer Kurs gesetzt, doch sollten sie bis zum 1. März des Jahres für die Hälfte ihres Wertes bei den öffentlichen Kassen eingelöst werden können; geschendt = geschimpft, gescholten; Greschje = Gröschlein; Musegande = Musikanten

mit mir! Bei uns Mensche geht's grood so: wann mer unser Dienste gedah hawwe un mer sinn iwwerflissig, do degradirt mer uns aach, un mer gelte aach net mehr for voll, außer im Werthshaus, un selbst do helt's manchmol schwer, bis mer's dazu bringt. (Nach einer Pause.) Was for en Dreester werd mer dann de Himmel heit schicke? Der Schmidt, – des is e guter Mensch, mit dem muß ich mich halte. Ich muß mich-em nothwennig mache: er muß sich in mei Bäsje verschamerirn, dann is mei Spiel gewunne, dann kann er mich net enbehrn, un so em Verliebte kimmts uf e Poor Flasche de Daak net ah. – Der Deiwel – do kimmt owwer Ahner der Drepp eruf gedappt, den kenn ich an seim Gang – – des is wahß Gott der unheeflich Bengler! Heiliger Bafanucius, steh mer bei! (Läuft umher.) Der Kerl is im Stand un haagt mich in meim eigene Kwatier – so Schuster sinn des Deiwels – Kah Rijjel – nix do! – Halt! – An eme Kranke werd er sich net vagreife! – (Er bindet sich schnell sein Schnupftuch um den Kopf und wirft sich aufs Bett. Es klopft mehrmals heftig an; er antwortet mit lautem Stöhnen.)

Drittes Bild – Sechste Szene

Datterich, mit gebrochenen Augen, auf dem Bette liegend, Bengler.

BENGLER. Lickt die Eil noch uf der faule Haut! Gästert widder voll gewäse, he? Des Geld versoffe, statt mich zu bezohle?

DATTERICH (schlägt die Augen wieder auf). Ach lieb Großmudda – sinn-Se widder do aus der Derkei?

BENGLER. Wos, Kerl? Sinn-Se noch voll? Ich will Ihne begroßmuddern! Mei Geld – odder– Sie wisse, wos ich Ihne gedärmt hob.

DATTERICH (breitet die Arme aus). Komm' an mei Herz, Hulda! Was willst du, schwatzbärtiger Krieger? Willst du mir vabieten, auf dem Deppich der Nadur zu wandeln?

BENGLER. Er helt mich in seim Suff vor en Teroler, weil er von Debch schwätzt. Wort, Oos, ich will dich nichtern mache. (Er rüttelt ihn.) Geld will ich, odder Ihr Buckel soll mer'sch bezohle!

DATTERICH (mit einer durch das Rütteln abgesetzten Stimme). Es lijje jetz Bi-i-i-ihrn – genug – hunne – wos for e Bech – wann Ahns kehmt – Schiddel doch – des ohrm Be-em-che net – so! Schorsch – du iwwer – dreibst's!

BENGLER (tritt verwundert zurück). Er muß doch net voll sei. Entwedder is er meschukke odder leit er im Fiewer.

DATTERICH (scheint zu sich zu kommen). Dreier Freind, Alonso, kannst-de mer zwah breißische Dahler lehne? (Schwach.) Du willst mer die Auge zudricke?

---

verschamerirn: sich verschamerieren, sich verlieben; Bafanucius = verdreht aus Bonifacius; Teroler = Tiroler, die früher mit Teppichen (Debch) in Deutschland hausierten; hunne = unten; meschukke = jidd. verrückt

BENGLER (wütend). Herr! – Nor net gestorwe, dann do kennt ich aach mit zor Leicht: erscht bezohle-Se mich, dann kenne-Se in Gottes Nohme mache, wos-Se wolle.

DATTERICH (vagiert wild mit den Armen). Verräder, willst du deinen Judassold? Nimm diesen Edelstein aus Persiens Krone! (Matt.) Ha – ich sterbe!

BENGLER (in der Stube umherlaufend). Do leit des Laster jetz un is am Obflattern! Net genug, daß er im Läwe die Leit um ihr Sach gebrocht hot: – er balwirt-se noch dorch sein Doht! – (Grimmig den Stock schwingend.) Wos deht ich-en so gern haage, awwer er spihrt doch nix mehr un es wehr aach net ganz menschefreindlich. (Stürzt ans Bett.) Awwer wort, wer mer nor widder gesund, do will ich der'sch weise! (Er ballt die Faust und geht ab.)

DATTERICH (springt auf, schlägt einen Entrechat und dreht ihm eine Nase). Grob bist-de, awwer doch noch net gescheit genug! Wie mich der Limmel hett schmeiße wolle, hett ich mich doht gestellt, wie e Kläwwer, do wehr-er gewiß zurickgehuft..

Hett ich nor mei Stiewel von dem Ooseschuster: der werd aach schon widderspenstig. Do stehn mei un sperrn die Meiler uf. (Es klopft an.) Is dann heit der Deiwel ganz los? Awwer vor de Annere ferscht ich mich net. Entrez!

Drittes Bild – Siebente Szene

Datterich, Schmidt.

DATTERICH (mit offenen Armen). Des is Recht! Wort gehalte! Wo komme-Se her?

SCHMIDT. Von dahahm. Ich wollt Ihne zu eme Spaziergang abhole, es is heit so schee draus.

DATTERICH. Glei, Deierster, ich will mich nor e Bisje ohrappele. (Er kleidet sich an.) Stäckt Ihne des schee Mädche noch im Kopp? Wann-Se Ebbes an se auszurichte hawwe, ich besorg's Ihne.

SCHMIDT. Ach, do des Evche?

DATTERICH (indem er den Rand seines Hutes mit Tinte schwärzt). Sie is ganz verna(rr)t in Ihne.

SCHMIDT. Losse-Se's emol vor de Hand sei; – ich hab driwwer nochgedocht – der Wei war mer e Bisje im Kopp –

DATTERICH. No, mer redt nor davoh. (Kommt an seine Stiefel; höchst verwundert.) Ei der Deiwel! Jetz gucke-Se emol die schlechte Schuster! Vor verzeh Daag vorgeschuht: – varisse! Ja un glahwe-Se, ich kennt mei annern drei Poor krijje? Des sinn wohre Landlijjener, die Schuster! – Wos mach ich? – Ich kann net vor die Schwell.

---

zor Leicht = Leiche, Beerdigung, als unbezahlter Gläubiger; obflattern = sterben; balwirt-se = barbiert sie über den Löffel; Entrechat = frz. Luftsprung; Kläwwer = Maikäfer; ohrappele = anziehen; vorgeschuht = gesohlt; Landlijjener = Landlügner; einer, der das ganze Land belügt

SCHMIDT. Wisse-Se wos? Sie ziehe-se als eweil oh un gehn mit mer hahm, do gäww'-ich Ihne e Poor von meine, wann se Ihne basse.
DATTERICH. Ja die Schuhmacher, die howwe e Gewisse, des läßt sich ziehe wie Bech. (Zieht die Siefel an.) E schee Fußwerk! Awwer so was schenirt en große Geist net. Komme-Se, Sie gehn uf meiner rechte Seit un bedecke mit christlicher Lieb mei Bleeße. Auf nach Sewillja! (Beide ab.)

Drittes Bild – Achte Szene

Stube in Dummbachs. Einige Tage nachher. Herr und Frau Dummbach, Marie.

DUMMBACH. Nor ruhig! Des Mädche soll kah Dummheite mache. Ich wor emol in meine Jugendzeite im Krumstädter Schbital, wo die viele Na(rr)n gehalte wern; do is mer aach e Mädche gewisse worn, die wor iwwergeschnappt, weil-er ihr Schatz undrei worn wor.
MARIE. E scheener Drost!
FRAU DUMMBACH. Ja, sie soll sich's net so zu Herze nemme. Aus dem Sinn! Du kimmst doch net unner'sch olt Eise. Er vadient's gor net, daß de dich so um en greemst. Do hot se sich gästert widder dick satt geflennt.
MARIE. Ich krein aach net mehr. Awwer do how-ich Ebbes von-em gehehrt, wann des wohr wehr – (schwermütig) wann des wohr wehr –
DUMMBACH. Seit-er den Datterich an der Seit hot, is kah Stern, der leicht.
MARIE. Wann des wohr wehr – er deht dem Evche die Kur mache.
FRAU DUMMBACH. Es is dem Lumbekerl sei Bäsje.
MARIE. Ach Gott, ich kann's als noch net glahwe. Er is nor vafihrt von dem Mensche, den soll – Gott vazeih mer mei Sinde – wann mer'n nor von Dem abbringe kennt, Vadda.
DUMMBACH. Ich bekimmer' mich nix drum. Ich will mei Mädche Kahm an de Hals werfe, Basta! Gemorje! Die Zeidunge wern drowwe sei. (Ab.)
FRAU DUMMBACH. Do stehn die Tasse noch, spiel-se, ich will eweil des Flahsch beimache, es scheint mer widder so zeeh wie Hustledda. (Ab.)

Drittes Bild – Neunte Szene

MARIE (allein). Ach, ich wohlt ich wer doht! – Die Taß do hot jo en Sprung! (Betrachtet sie.) Die hot mer de Kall emol zum Bräsent gemacht – un jetz den Sprung, grood dorch die Lieb un Freindschaft: des baßt. (Sieht durchs Fenster.) Ach, do geht er jo! Un der Datterich hot-en am A(r)m; – wos der Kujon for e Poor varissene Stiewel ohhott, un der Kall scheemt

---

Sewillja = Anspielung auf Brentanos „Ponce de Leon"; Krumstädter Schbital = Hospital in Crumstadt (Irrenanstalt); geflennt = geweint; leicht = leuchtet; die Kur mache = den Hof machen; Gemorje = Guten Morgen; Hustledda = Hustenleder, volkstümlicher Ausdruck für Lakritze (eine damals bei Kindern beliebte Paste gegen Hustenreiz); Kujon = frz. couillon: Feigling, hier: Schuft

sich net un geht mit-em: sei Rock is voller Fissel, wo er sonst immer so brobber wor. Er guckt net emol eruf! – Des hot er sonst immer gedah! Des Gewisse werd-en dricke. Da, jetz sinn se um die Eck: – Der fihrt-en gewiß in's Werthshaus! (Halb weinend.) Ach! (Sie spült wieder an den Tassen. Es zerbricht eine.) Die wehr vabroche! – Meintwäje, es is jo nor e Taß un spihrt nix: awwer Kall, Kall! du host mer mei Herz vabroche, des spihrt's! (Nach einigem Nachsinnen.) Ich bin werlich Kah von Dene, wo immer de Kopp voll Romane stäcke howwe: awwer der Kall hot mich uf der Seel: – verantworte kann er'sch net. Es is kah Kunst, so e ohrm Mädche ohzufihrn un se Zeit ihres Läwens elendig zu mache, awwer daß der Kall aach so wehr, des hett ich-em net zugedraut. Wie wor-er sonst! Es wor e Ausbund von Orndlichkeit! fleißig, sparsam, sauwer: – Stah und Bah how-ich uf-en gehalde. – Ach, un ich hob mich gedeischt!

Drittes Bild – Zehnte Szene

Marie, Evchen mit einem Korb.

EVCHEN. Gemorje, Marieche. Nor uf en Sprung! ich muß uf de Mack – ich hob-der wos zu vazehle.
MARIE (gespannt). Gewiß vom Schmidt.
EVCHEN. Sei nor net so spitz! Ja, vom Schmidt. Er lahft mer uf Wähk un Stähk nooch, awwer ich will nix von-em wisse, ich will eier Glick net stehrn.
MARIE (inTränen ausbrechend). Ach, Evche, for mich is er doch valohrn!
EVCHEN (mitleidig). Du Ohrmesje! – Do hot er mer den Brief dorch de Datterich geschickt; läs-en. (Gibt ihr den Brief.)
MARIE (liest ihn für sich). Des hot noch gefehlt! (Sinkt auf einen Stuhl.)
EVCHEN. Sei nor gedroost! Es kann noch Alles gut wern.
MARIE (seufzt). Ja, schee!
EVCHEN. Sich, der Datterich hot-en nor beschwätzt: ich mißt-en net kenne. Wos er vor Grinde dazu hot, wahß ich net. Es is leider Gottes e Vedda von mer. Ich wollt de Brief erscht gor net nemme.
MARIE. No, willst-de dann kumme?
EVCHEN. Gott soll mich bewahrn. Ich muß jetz fort: alleweil siehst-de, daß ich-der dein Schmidt net abspenstig mache will.
MARIE. No, bleib doch noch e Bisje.
EVCHEN. Ich muß; sonst dreff ich die Griesemer net mehr, un vun de Hocke mag ich kah Zwiwwel, mer wolle heit Zwiwwelsupp esse. Valihr nor de Muth net! Gemorje, Marieche!
MARIE. Ach, den haw-ich valohrn! Gemorje, Evche. (Evchen ab.)

Fissel = mhd. viseln: Fasern, Franzen, Fädchen; brobber = frz. propre: sauber; Stah un Bah = Stein und Bein; Ohrmesje = Armeschen, kleines Armes; Griesemer = Griesheimer. Griesheim bei Darmstadt treibt bedeutenden Handel mit Sämereien und Küchengewächsen; Hocke = wahrscheinlich Name einer Darmstädter Gemüsefrau namens Hock

Drittes Bild – Elfte Szene

MARIE (traurig, den Brief zerknitternd). Bin ich net e recht dumm Ding! I c h sitz do un grehm mich, un e r sitzt im Werthshaus und denkt: Die kann mich lahfe losse, un stutzt mit seim Datterich, wo der Kerl so verruffe is, wie des Koborjer Geld. Ich muß doch des sauwer Biljetche noch emol läse; vorhin sinn mer all die Buschdawe uf dem Babier erum gedanzt. (Sie liest.)
„Göttin meines Herzens!
Wenn die Hoffnung, Gnade vor Ihren Vergißmeinnichtaugen gefunden zu haben, mich nicht Täuschte; – wenn Amors Pfeil, der mein Herz durchbohrte, auch Ihren Busen durchdrang; – wenn ich Ihre berauschenden Blicke recht verstanden habe: o, dann wäre das Glück von Millionen Elend gegen meine Seligkeit zu nennen!"
Wos verrickt Zeig!
„Wollen Sie diese Seligkeit krönen? O, so erscheinen Sie morgen Abend um acht Uhr an dem Teiche des Herrngartens, wo Philomele ihre Minnelieder seufzt: zu Ihren Füßen werde ich Ihnen dort meine Liebe stammeln. Ich bringe Ihren Herrn Vetter, meinen edeln Freund Datterich mit.
Bis in den Tod der Ihrige,
S c h m i d t."
Den hott der Kall net geschriwwe: so Sache bringt Der net uf. Den hot-em der Datterich gemacht, der ungehengt Dieb, des is so e Fedderfuchser. Er is grood wie sei beeser Geist, der-en zu alle Deiweleie perschwadirt: awwer ich bin gut davor, wann's e Hell gibt, der kimmt enei mit Strimp un Schuh: um mich hot er'sch vadient. (Ab.)

Der Vorhang fällt. Ende des Dritten Bildes.

Viertes Bild – Erste Szene

Wirtshaus, wie im ersten Bild. Datterich und Schmidt.

DATTERICH. Ich wahß net, ich hab heit schon de ganze Daag so en vasteckte Dorscht. (Trinkt.)
SCHMIDT (unruhig). Un ich bin ganz zwazzelig. Wann nor die Marie nix gewahr werd.
DATTERICH. Die werfe-Se iwwer Bord, Freindche, die reicht dem Evche des Wasser net.
(Schmidt geht unruhig auf und ab.)

---

perschwadirt = lat. persuadere: überzeugen; zwazzelig = zappelig, nervös

DATTERICH (setzt sich gravitätisch). Ich will Ihne emol e Vorlesung halte, ich seh, es is bei Ihne nehdig, dann sonst komme-Se am End hih un die Liebeserklärung bleibt Ihne im Hals stecke. Es is so schon siwwe-Uhr. Also die Ohrn steif gehalte: Sie sinn's Evche un ich bin Sie. Jetz mache-Se emol e recht vascheemt Gesicht.

SCHMIDT. Wie wern dann die gemacht?

DATTERICH. Riwwele-Se sich die Backe, daß-Se en zahrte Ahflug von Jungfreilichkeit ervorzaubern; die Aage schlage-Se uf de Erdsboddem nidder, als dehte-Se die valohrn Herzensruh suche; des Maul pätze-Se zusamme un duhn's nor dann vunnanner, wann-Se en Seifzer losbrenne wolle, un mit der Hand zoppe-Se am Scherzbennel, odder, in Ermangelung, an de Vaddamerder.

SCHMIDT (ahmt alles nach). Is es so recht?

DATTERICH. Es bassirt: nor entferne-Se die link Hand aus dem Hosesack; die gehert uf's Herz, un wo meeglich noch e Bisje schwermihdig geschmunzelt: ja, awwer des Maul net so dabei ufgerisse! Jetz nemm ich en Schluck (trinkt) um mei nadihrliche Muth zu vadoppele, un dann fang ich mei Manehwer oh. (Nähert sich mit zierlichen Schritten.) Erscht kimmt e ohrmsdicker Seifzer (seufzt), der macht de Ahfang, un Sie seifze aach, awwer mehr piano.

SCHMIDT (seufzt). Ach!

DATTERICH (chevaleresk). Freilein, es gibt Fälle im menschliche Läwe, von dene man sich kei Rechenschaft gäwwe kann: – des is so einer.

SCHMIDT. Meine-Se?

DATTERICH. O Sie Huldreiche, ich meine es! Awwer die Fligel meiner Phantasie sinn zu schwach, als daß ich Alles so von mer gäwwe kennt, wie ich's denk; deß vasich'r ich Sie.

(Schmidt seufzt.)

DATTERICH (zärtlich). Sie seifzen?

SCHMIDT. Ja.

(Datterich breitet zärtlich die Arme aus, Schmidt stürzt hinein.)

DATTERICH. Bscht! Halt! Des wor zu hortig! S i e hawwe's gut vor – wann's des Evche aach so macht, will ich's lobe. Gemeiniglich sinn die Weibsleit erscht e Bisje absenat, da derf mer sich awwer net drah stoße. Kenne-Se de Faust?

SCHMIDT. Von der Ludwigsheh?

DATTERICH. Nein, von Geethe. Do leßt des Greetche mein Faust aach erscht obfahrn, wie er se uf der Gaß beglahte will, un hinnedrei is es doch ah Herrlichkeit. Halt, do kimmt des Lisettche! Jetz gäwwe-Se emol Owacht; nemme-Se sich e Muster an mir.

Vaddamerder = hoher Stehkragen mit abstehenden Ecken; bassiert = geht an, reicht aus; absenat = obstinat, widerspenstig; Ludwigsheh = Ludwigshöhe, Hügel im Süden Darmstadts. Der Wirt der darauf befindlichen Gaststätte hieß Christoph Faust

Viertes Bild – Zweite Szene

Die Vorigen. Lisette.

DATTERICH (eilt schwärmerisch auf sie zu). Ach, holde Jungfrau, Stern meines Lebens!

LISETTE. Gell Sie sinn net recht bei Droost?

DATTERICH. Welcher Himmel in Ihren blauen Augen!

LISETTE. Sie mit Ihre graue Katzeaage, was wolle Sie dann?

DATTERICH. Sinn-Se daub gäje mein Flehen?

LISETTE. Spohrn-Se nor Ihrn Othem un lasse-Se mich ungeschorn, sonst kann's noch Ebbes absetze.

DATTERICH (zu Schmidt). Sähe-Se, mit dähre wehr Hoppe un Malz valohrn: ich glaab, wo annern Leit ihr Herz hawwe, hat Die e Schoppebudellche. (Zu Lisette.) Drage-Se emal Ihne Ihr Scheenheit in de Keller, un wann-Se widder howwe sinn, da hawwe-Se e Flasch Ingelheimer in Ihrer Schwanehand, die trinke mer uf Ihne Ihr Gesundheit.

LISETTE. Ich erleb's noch, daß-Se nach Krumstadt komme. (Ab.)

DATTERICH (nachrufend). Ja, wann Sie mer de Kopp verrickt hawwe. (Zu Schmidt.) Die wo sich so stelle, sinn grood die Allerschlimmste. – Awwer was mache-Se vor e Bohnemche, wie e Katz, wann's dunnert? Muth, Liewer, Korahsch! Wann-Se noch e halb Budell im Leib hawwe, da schwätze-Se dem Deiwel e Ohr ewäck. Nor recht schlecht Zeik geschwätzt, des is e Hauptsach, wann mer bei de Weibsleit Glick mache will: um's Läwe net still geschwijje, sonst halte se Ahm for en Simbel. (Singt.)
„Weg mit den Grillen und Sorgen etc."
(Lisette bringt Wein.)

DATTERICH (einschenkend). Da gucke-Se emal, wos Perle! Geht Ihne do des Herz net uf, wie e Kräbbel?

SCHMIDT. Wisse-Se was? Ich wollt, ich hett den Brief gar net abgeschriwwe. Gott, die ohrm Marie kreint sich die Aage aus dem Kopp!

DATTERICH. Des wehr Schadd dafor. O breiße-Se sich glicklich, daß-Se die Dunsel los sinn; sie hat en zu stermische Karakter: die haagt emol ihrn Mann nach alle nei Neehte, des derfe-Se mer glahwe, un ich duh e gut Werk, dann ich rett Ihne vor de Schlee.
(Schmidt schüttelt den Kopf.)

DATTERICH. Trinke-Se , da komme-Se uf annern Gedanke.

SCHMIDT. Ich wohlt. (Trinkt sein Glas aus.)

DATTERICH. So is Recht, schlucke-Se des Ohdenke an die Marie do mit enunner.

SCHMIDT. Wann's nor so ging, wie bei der Eppelfrah.

DATTERICH. Mer wolle's schon hihbringe. Als geleimt, da capo!
(Sie trinken.)

Schoppebudellche = Schoppenfläschchen; Bohnemche = hebr. Pânîm, Gesicht; Kräbbel = Krapfen; schadd dafor = schade drum; Dunsel = frz. doncelle: dummes Mädchen; nach alle nei Neehte = nach allen neun Nöten; Schlee = Schläge; Eppelfrah = Apfelfrau; wanns nor so ging, wie bei der E.: so reibungslos wie beim Verkauf von Äpfeln; geleimt = getrunken

DATTERICH. Jetz noch Ahns! Schmolles!
SCHMIDT. Es gilt! (Sie trinken Schmolles.)
DATTERICH (drückt ihm die Hand). Bleib mei Freund, ich haaß Datterich.
SCHMIDT. Bleib meiner aach, ich haaß Schmidt.
DATTERICH (ihn umarmend). Wir sinn Freinde! Wie Bruda und Schwesta lass' uns an enanner henge! O Wonne, die in der e i n e n Silbe: Freindschaft, lickt! Ich dausch mit kahm Kurferscht; Un: der Grinder deines Glicks zu wern – ich meegt kreine! (Schluchzt.) Ewig, ewig! (Wendet sich innig gerührt ab, trocknet mit der einen Hand die Augen und führt mit der andren das Glas zum Munde. Schmidt sieht treuherzig zu.)
DATTERICH. Die Feier unsersch Freindschaftsbundes derf uns jedoch net vaspähte. Rist dich zum Ufbruch: m i r misse zuerscht uf dem Blatz sei.
SCHMIDT. Ach, liewer Freind, geh du for mich.
DATTERICH. Zeig' dich als Mann: for'sch Weiter laß m i c h sorje.
SCHMIDT. Gott steh mer bei! Es is mer grood zu Muth, wie wann ich als Bub als am Heerdwäg Eppel gestrenzt hob, un hob gemahnt, ich deht erwischt wern.
DATTERICH. Hier gilt's um kah Eppel un um kah Erwische. Die Lieb winkt Ihne – winkt-Der, wollt ich sage. Vazeih!
SCHMIDT. Was for en Wähk gehn mer dann?
DATTERICH. Dorch's Galjevertel, da merkt uns Niemand. Komm, deierer Freind!
SCHMIDT (seufzt). Ich wohlt, es wehr vabei! (Beide ab.)

Viertes Bild – Dritte Szene

LISETTE (allein). Des is e Hauptspitzbub, der Datterich! Dem ohrme Schmidt zickt er noch de Rock aus un leßt-en lahfe.
BENGLER (stürmt herein). Wor der Datterich äwe net do?
LISETTE. Sie misse jo widder'n gerennt sei.
BENGLER. Do wehr-em Gott gneedig gewäse! Ich hett-en in Kochsticker vahaage, de Hallunk! – E halb Scheppche! – Wos mich des Oos schon gebeezt hot! Von enanner reiße kennt ich-en wie en Heering un kennt-em sei vatribbelt Seel aus dem Leib roppe, Gott vazeih mer'sch!
LISETTE. Er is Ihne gewiß Geld schullig?
BENGLER. Seit Anno elf, wie der Deiwel e klahner Bub wor. Ich how-em gearweit, ich hob all mei Phandasie zamme genumme, daß-en gewiß kah Stiewel gedrickt hot: selwigs Mol how-ich-en noch net so gekennt. Des Oos bezohlt net, bezohlt net: – uf Ahmol geht er zu eme Annere un leßt sich sei Stiewel mache.
LISETTE. Er werd gedenkt howwe, Sie dehte-m nix mehr borje.

Schmolles = Duzbrüderschaft; Heerdwäg = Herdweg, Straße in Darmstadt, ehemals vor der Stadt gelegen; gestrenzt = gestohlen; Galjevertel = Galgenviertel, vermutlich das „Watzeviertel", ein nordöstlicher Stadtteil; gebeezt = geärgert, foppen, zum Besten halten; vatribbelt = vertrippelt, heruntergekommen

BENGLER. E Breedche! – Ich lahf un lahf: mahne-Se, ich hett mei Geld krijje kenne? Letzt how-ich zu-em gesogt: Kerl, wann's de mich noch lenger an der Noos erum fihrscht, haag ich dich, daß de des bitterbees Zelem krickst! Sie krijje's, hot er mer geantwort. Die vorig Woch kumm ich zu-em.

LISETTE (lacht). Do wor er gewiß net zu Haus.

BENGLER. Ja wohl wor er do! Ich hatt de feste Vorsatz, ich wollt'en winnelwaaich dresche un dann wollt ich schennerees sei un wollt soge: alleweil sinn mer kitt! Ich klopp an die Diehr, mit mei'm spannische Rohr in der Hand: – kah Antwort. Ich geh enei: do leit er uf seim Bett un macht e poor Aage, als wie e gestoche Kalb.

LISETTE. Er werd voll gewäse sei.

BENGLER. Die Vamuthung hatt ich erscht aach, owwer do fengt er oh, Zeik zu schwätze, daß ich net annerscht geglahbt hob, als: alleweil hot er des Lahd.

LISETTE (lacht). Ach, des is e Oos!

BENGLER. An eme dohtkranke Mensche wollt' ich mich net vagreife, dann wie leicht hett er mer unner de Hand obflattern kenne, un do hett ich-en for gut bezohle misse. Also ich fort!

LISETTE. Der hot Ihne schee ohgeschmiert!

BENGLER. Worte-Se nor, ich quittir-em noch mei Guthawwe uf sein Buckel. Heit Middaak seh ich-en frisch un gesund iwwer die Gaß lahfe: ich hortig eme Danzmahster sei Kalosche ewäckgeworfe, an dene ich grood geriestert hob, in mei Rock geschluppt un do her: dann ich wahß, des is sei Spielhaus.

LISETTE. E klei Bisje hette-Se friher komme solle; is Ihne der Herr Schmidt begäjent?

BENGLER. Ja.

LISETTE (lachend). Do is er hinne enaus, wie er Ihne gespihrt hat.

BENGLER. Der Duft muß-en dricke. Wann kimmt er dann als her?

LISETTE. Mer is kahn Aageblick vor em sicher.

BENGLER (erbost). Gut, ich geh-em noch mehr zu Gefalle: er krickt sei Riß, un wann ich mein Lehrjung de ganze Dook do her an's Hausdohr Poste stelle muß. Adjehs. (Ab.)

Viertes Bild – Vierte Szene

Dämmerung. Gebüsch an dem Herrngartenteiche. Datterich und Schmidt.

DATTERICH. Es is mer ganz unhähmlich, – wann der Bengler nor im Himmel wehr.

SCHMIDT. Ich glahb net, daß er'sch gut mit-der mahnt.

DATTERICH. Ich glahb aach net. Er hat emal die fix Idee un helt mich for sein Schuldner, un verfolgt mich mit ere Ahhenglichkeit, die mer manchmal lästig werd. Horch! Dort kimmt Jemand! Ich glahb, es is se.

Zelem = jidd. Unglück; schennerees = generös, großmütig; hot er des Lahd = hat er das Leid, ist er verloren; geriestert = mit Riestern (Flecken) versehen; der Duft muß-en dricke = scherzhafte Verwünschung; Riß = Prügel

SCHMIDT (ängstlich). Ach, sie werd doch net!

DATTERICH. For deßmal war se's net. – Was bin ich-der Ihne awwer hinner die Stalldihr geschosse, wie ich den Bengler uf's Haus zustachese sähe mit seine Blattfihs – e Gesicht hat er gemocht, wie e brillender Leeb, der mich ahrm Lemmche vaschlinge wollt: (frohlockend) awwer hast-de'n net gesähe?

SCHMIDT (erschrocken). Alleweil kimmt se! (Will fort.)

DATTERICH (hält ihn). Issi, sehkt der Spanjer. Do gebliwwe! Scheem dich doch! Ich glahb, du gedraust dich net mit eme Stäcke bei e doht Hinkel zu geh. Sie beißt net un schmeißt net. Ich zieh mich jetzt e Bisje beiseits; – mach dei Sach gut!

SCHMIDT (in größter Angst). Der Dunner, so bleib doch do! (Verzweifelt.) Es geschieht mer ganz Recht – warum mach ich de Schlechte am Marieche – der Oosedatterich! Was schwätz ich nor? Ach, do is-se.

Viertes Bild – Fünfte Szene

Schmidt, Evchen, Datterich in einiger Entfernung.

EVCHEN (in einen Mantel gehüllt). Hm. (Hustet.)

SCHMIDT (hustet gleichfalls und nähert sich schüchtern). Genawend, Freilein.

EVCHEN (leise). Genawend, Herr Schmidt.

SCHMIDT (hustet, für sich). Wos soll ich nor schwätze? (Laut.) Wie is doch die Nadur im Allgemeine so schee!

EVCHEN. Gor schee.

SCHMIDT. Hehrn-Se die Nachdigalle peife? – seifze, wollt ich sage.

DATTERICH (im Hintergrund). Ich her nix wie Fresch quaakse.

EVCHEN. Es is doch e wenig windig.

SCHMIDT. Ja, es is sehr windstill. (Pause. Schmidt sieht sich verlegen nach Datterich um.)

DATTERICH. Wos sich der Kerl so dreidrethig stellt! (Nähert sich und flüstert ihm zu): Schwätz doch von deiner Lieb! (Zieht sich zurück.)

SCHMIDT. Wanns nor so Wedda bleibt. – – Wos die Blumme so stack riche – – (Für sich.) Ich lahf fort! (Laut.) Glauwe-Se auch, Freilein, daß es winschenswerth wehr, wann die Derke aus Eiroba vadriwwe wern dehte?

EVCHEN. Wie meine-Se?

SCHMIDT (schnell). Freilein, ich will Ihne emal Ebbes sage: – ich lieb' Ihne. (Für sich.) Da, jetz is es haus!

DATTERICH (im Hintergrund). Bravo!

EVCHEN (seufzt). Ich kann's net recht glahwe.

SCHMIDT (für sich). Ich, wahß Gott, aach net! (Laut.) Sie kenne sich druf valasse.

EVCHEN. Wann-Se m i r'sch nu mache, wie dem Marieche?

---

zustachese = unbeholfen ankommen; issi = frz. ici: hier; Hinkel = Huhn; Genawend = Guten Abend; dreidrethig = dreidrähtig, unbeholfen

SCHMIDT (bestürzt). Ja, des ahrm Marieche! – awwer ich bleib Ihne drei.

EVCHEN. Wie dem Marieche?

SCHMIDT (sich vergessend). Ach schweie-Se mer still mit dem Marieche – ich bin e schendlicher Mensch!

EVCHEN (mit erhöhter Stimme). Is Des Ihne Ihr Ernst?

DATTERICH (für sich). Ei so soll dich dann aach! (Tritt näher.) Bäsje, Sie derfe sich an sei Bleedigkeit net stoße: er is so, bis er Ihne emol neher kennt.

SCHMIDT (tritt bei Seite). Ach Marieche, uf wos for Wäge bin ich geroothe!

DATTERICH (zu Evchen). Gucke-Se, er is ganz ewäck, die Worte fehle'm um sei Gefihle auszudricke. Sie mahne vielleicht, er deht noch an die Marie do denke?

EVCHEN. Ehr wie net.

DATTERICH. Da sollt mer'm en Vormund setze! Die dumm Genslies war nix for en.
(Das vermeintliche Evchen gibt ihm eine Ohrfeige und tritt ins Helle: es ist Marie.)

MARIE. Da host-de dei Genslies, du Hahmducker!

DATTERICH (fährt zurück; höflich). Ich bedanke mich.

SCHMIDT (stürzt auf Marien zu). Marieche, lieb Marieche, du bist's?

MARIE. Ja, i c h bin's un hab dich jetz kenne lerne! (Sie will gehen.)

SCHMIDT (hält sie zurück). Geh net so fort, eh's-de mer vagewwe hast!

MARIE (sucht sich loszumachen). Worscht widder Worscht! Ich kann aach ohne dich läwe.

SCHMIDT (in Verzweiflung). O hett ich d e n Kerl nie gesähe!

MARIE. Dort steht Ahner un riwwelt sich sein Backe: an den halt' dich: du host-em jo die ganz Zeit gefolgt. (Sie tritt auf Datterich zu.) Gell, Sie schlechter Mensch, Feindschafte kenne-Se stifte un kenne en Annern zu beese Sache vafihrn, wann er Ihne nor die Gorjel schwenkt?

DATTERICH (höchst erstaunt). Da soll awwer doch Jedes! Der hat m i c h e h r vafihrt, als wie i c h i h n.

SCHMIDT (stürzt auf ihn los). Vafihrt host-de mich, Unheilskerl! Host-de was dagäje? Host-de mich net mit deine himmelscheene Vasprcche erumgezoge? Host-de mich net in alle Werthshäuser erumgeschleppt? Host-de mich net weis gemacht, die Marie hett's mit eme Annern?

MARIE (entrüstet). Wos, Kalfakter, wie kannst-de dich Des unnerfange?

DATTERICH (mit Ruhe). Ich merk, Freilein, Sie sinn mit der Zung äwe so hordig, als wie mit der Hand.

SCHMIDT (drohend). O ich hett Lust un deht dich abziehe, daß de –

DATTERICH (kaltblütig). Die Sticheleie wern sich vabäte.

SCHMIDT (zu Marien). Sich, Marieche, vazeih mer nor deßmol: Der is an Allem schuld.

DATTERICH. Die Unschuld muß heidiges Daags viel leide. Iwwrigens erklehr ich Ihne hiermit, daß unser Schmolles ufgehowwe is. (Gesteigert.) Sie vadiene mei Freindschaft net, Sie Donnerwedda!

Hahmducker = Heimtücker; Kalfakter = lat. calefactor: Heizer, hier: Verleumder, Zwischenträger; sich = sieh

SCHMIDT. Nor net grob, sonst krijje-Se Ihr Feng, eh' Se sich umgucke!
DATTERICH (pathetisch). Wann ein Dippche voll is, brotzel's iwwer: alleweil haw-ich genug. Meine-Se, daß ich der Mann wehr, der sich so mir nix dir nix uf dem unschullige Buckel erum danze lasse deht, Sie? –
SCHMIDT. Der Bengler werd Ihne schon noch druf erum danze, wann ich's aach net bin.
MARIE. Ach, laß-en doch jetz geh'.
SCHMIDT. Komm, mer wolle'n mit seiner Schlechtigkeit ellah losse. (Will mit Marie gehn, Datterich tritt ihm in den Weg.)
DATTERICH. Halt, des geht so net! Sie hawwe mich greblich beleidigt: des kann nor dorch Blut abgewesche wern: mir schieße uns!
MARIE. Ach, losse-Se sich mit der Belzkapp schieße!
SCHMIDT (entschlossen). Ja, ich schieß mich mit-em!
MARIE. Ach bei Leibe net! Herr Jeh, Kall –
SCHMIDT. Ich muß in deine Aage widder zu Ehrn kumme. Es is e Wort, mer schieße uns –
DATTERICH (für sich). Er hat werklich Lust. (Laut.) Sie denke wohl net mehr an die Geschicht mit meim Bareenche? Deßmal setzt sich kah Schmaaßert uf mei Visier, wann-Se sich vielleicht dadruf valasse.
SCHMIDT. Selbst Schmaaßert! Jetz halte-Se Ihr Maul un sage-Se mer, wann's vor sich geht.
DATTERICH. Bis Freidaag Middaag um drei Uhr hinner de drei Brunne. Ich deht's glei uf Morje bestimme, awwer ich will Ihne doch Zeit lasse, Ihne Ihr Testament zu mache.
SCHMIDT. Un Sie, bezahle-Se erscht noch Ihne Ihr Schuldleit, sonst gibt's en zu lange Leichezuck. Kumm, Marieche.
DATTERICH (ruft ihnen nach). Sekendante sinn iwwerflissig: for die Pistole wer ich sorje. (Schmidt und Marie ab.)

Viertes Bild – Sechste Szene

DATTERICH (allein). Adjeh Mann, vageß de Stäcke net! – O ich Kawenett! Wann ich's bolitisch ohgefange hett, wie lang hett ich an Dem hawwe kenne! Ich wehr droostlos, wann ich die scheene Stiewel net an meine Fihs erblicke deht! Ihr werdet an ihnen vascheiden! Was hatt ich vor lachende Aussichte in die Zukunft, wann Der mer noch ferner sei Freindschaft geschenkt hett! „Hier steh' ich, ein entlaubter Stamm!" Diese Person tritt iwwrigens mit einer Energie uf, wie man sie nicht selten trifft. – Awwer jetz muß sich mit Glanz erausgebisse wern. Hett ich mer nor mei Schnabbart steh gelasse, er hett mehr Reschbekt vor mer gehegt. (Reibt sich den Backen.) Des is

---

Feng = Schläge; Dippche = Töpfchen; brotzelt = kocht; Belzkapp = Pelzkappe, gemeint ist ein weicher Gegenstand; drei Brunne = südöstlich der Stadt, auf der Straße nach Roßdorf; Stäcke = Stecken, Stock; Kawenett = Kabinettstück (von einem Dummen); „Hier steh' ich, ein entlaubter Stamm!" = Schiller: Wallenstein; Schnabbart = Schnurrbart

e kuraschirt Weibsbild, was die for e Handschrift vafihrt! No, es is die erscht Batsch net, wo ich krick, es is e Vorbereitung uf de Bengler. Wann's kah Frauenzimmer gewäse wehr, hett se se widder mit Indresse zurickkrickt, awwer so muß mer'sch aus Galanderie eistecke. Dorchgefochte werd's! Entwedder sitz ich bis Freiddaag Awend in Drahse odder – wo annerscht! (Will gehen.)

Viertes Bild – Siebente Szene

Datterich und Spirwes.

DATTERICH. Ei, mei Freind Spirwes! Hat Ihne aach die schee Nadur erausgelockt?

SPIRWES (mürrisch). Wos geht mich die Nadur oh! Frisch Luft wollt ich scheppe – de ganze Daak gesotze un gekohrt un als dazu geleimt: der Kopp wor mer ganz dick. Wo hawwe Sie dann heit gestocke?

DATTERICH (geheimnisvoll). Deiwelssache, sag-ich Ihne, sinn mer bassirt. Gucke-Se mich emal ah, Freind.

SPIRWES. Wofor?

DATTERICH. Gucke-Se mich emal ah!

SPIRWES. No, do säh ich wos Rechts!

DATTERICH (wichtig). Sie sähe mich wahrscheinlich zum letzte Mal.

SPIRWES. Gell Sie wolle de Don Kallos widder eisetze helfe?

DATTERICH. Ich misch mich net in auswärdige Kempfe: ich mach ahn in unserm Land aus.

SPIRWES. Wos Deiwel?! Mit wem?

DATTERICH (wichtig). Er will net genennt sei: es is e Hocher.

SPIRWES. Der werd Ihne de Dorscht vadreiwe!

DATTERICH. Spaß abatt! Mer schieße uns iwwer'sch Sackduch, da bleibt Ahner uf dem Blatz.

SPIRWES. Ich mahn, Sie wehrn schon oft genunk uf dem Blatz gebliwwe, wann-Se net von Bolezeidiener fortgeschleppt worn wehrn.

DATTERICH. Sie hawwe gut redde: awwer ich, wo ich so zu sage mei Dohtehemd draag –

SPIRWES. Ich deht e Anneres ohziehe. Iwwrigens hot Ihne Ihr Doht doch en Nutze.

DATTERICH. Ja, for de Himmel.

SPIRWES. Nix! – for uns: ma kann dann en wollfelere Wei trinke, dann d e r schlehkt gewiß ab.

---

mit Indresse = mit Interesse, hier: mit Zinsen; gesotze un gekohrt = gesessen und Karten gespielt; abatt = frz. à part: beiseite; Sackduch = Taschentuch. Beim Pistolenduell übers Sacktuch fassen die Duellanten mit ausgestreckten Armen gemeinsam ein Taschentuch an den Zipfeln. Eine der beiden Pistolen wird von einem Sekundanten im Verborgenen geladen; die andere Pistole enthält nur ein Zündhütchen. Äußerlich sind die Pistolen nicht voneinander zu unterscheiden. So bestimmt der Zufall, wer die geladene Pistole erhält. Bei dem geringen Abstand der Gegner geht das Duell tödlich aus

DATTERICH. Noch ah Wort! Sie kenne mer en Gefalle duh.

SPIRWES. Ich hab kah Geld bei mer.

DATTERICH. Ich wer aach kahns mehr brauche. Dreeste-Se mei Freind un Bekannte.

SPIRWES. De Bengler aach?

DATTERICH (mit Pathos). Alle, dene ich im Läwe lieb un deier war.

SPIRWES. Es is zwor e Bisje viel zugemuth, dann do kann ich in alle Werthsheiser erumgeh, awwer ich wer mich schon for mei Geng enschädige.

DATTERICH. O Sie dreier Freind! Sie vadiene, daß ich Ihne dorch e lenger Läwensdauer beglicke kennt un Ihne net in der Blihde meiner Jahre dorch en grausame Doht entrisse wern mißt! – Komme-Se, mer trinke Abschied! (Beide ab.)

Der Vorhang fällt. Ende des vierten Bildes.

Fünftes Bild – Erste Szene

Freitag nachher. Stube in Dummbachs.

MARIE (allein). Wort, Datterichelche, dich britsche mer! – An kahn Bessere hett ich mich net wenne kenne. Der stäckt voller Piff un Flause noch von Gieße her. Wo er nor bleibt! Heit Middaag wolle-se sich schieße: es is dem Kall sei velliger Ernst. „Un wann er mich zusammeschießt", hot er gesogt, „do haw-ichs um dich vadient." Ja, Kall, mei Vazeihung host-de, dann wann Ahns for sei Geliebte kumbawel is, in de Doht zu renne, do is er werth, daß mer'm vagibt.

Awwer so weit soll's net kumme. Ich mehkt nor wisse, wos der Herr Vedda for en Blahn ausgeheckt hat; er sehkt's net, awwer ich setz mei ganz Zudraue uf en, dann er is dem Datterich spinnefeind. Wort, Mepsche, wer zuletzt lacht, lacht am Beste! Mein gute Kall sollst-de mer ungeroppt losse!

Fünftes Bild – Zweite Szene

Marie, Fritz Knippelius.

MARIE (ihm entgegeneilend). Ach, sinn-Se endlich da, Herr Vedda! Mit Schmerze haw-ich uf Ihne gebaßt!

---

britsche mer = mit der Narrenpeitsche schlagen, hier: narren; Gieße = Gießen. Fritz Knippelius hatte erfolglos in Gießen studiert, ehe er die Metzgerei seines Vaters übernahm. Vater und Sohn Knippelius sind Hauptfiguren in Niebergalls erstem Stück „Der tolle Hund oder Des Burschen Heimkehr", 1837; kumbawel = frz. capable: fähig; Mepsche = Möpschen

KNIPPELIUS. Des is e wohr Kreiz mit eich junge Mäderger! Des soll all iwwer Hals un Kopp geh. Ich, als e junger Ehkrippel, sollt mich eigentlich gor net mit so Sache befasse, un wann's mei Bienche wißt, die deht mer die Ohrn voll flenne, odder ich krehkt mei Schlee.

MARIE. No, wie soll's dann jetz gemacht wern?

KNIPPELIUS. Nor Geduld. (Zieht einen Brief aus der Tasche.) Des is des Recept gäje Pulwer und Blei.

MARIE. Wos steht dann drin?

KNIPPELIUS. Daß die Neigierd e Haaptdugend von de Weibsleit wehr. Den Brief lehje-Se jetz an en Ort, wo er glei gefunne wern muß: des Iwwerig werd sich noochgehends finne.

MARIE. Ach, wos bin ich Ihne so oblischirt!

KNIPPELIUS. No, wos krie ich dann for mei Mih?

MARIE (lacht). Ja, wos soll ich Ihne gäwwe? – Ich hab nix.

KNIPPELIUS. Her en Schmatz!

MARIE. Des sag ich awwer dem Bienche!

KNIPPELIUS. Die derf's wisse. Ich wer doch emol mei Bäsje kisse derfe! (Küßt sie und will gehen.) Adjeh!

MARIE. Sie lahfe ja gor hortig! Sie kenne gewiß net ohne Ihne Ihr Frah sei.

KNIPPELIUS. Es is mer verrothe worn, in Gunnernhause wehr e Stemmche Hemmel, stootsmeeßig fett: do will ich noch heit Morjend hih, daß mer se net am Enn so e Dibborjer Judd vorm Maul ewäck schnappt. Jetz nor behutsam! Nix merke gelosse! Bis ich widder kumm em Uhre finf, sitzt der Datterich in Numero Sicher. Gemorje.

MARIE (läuft ihm nach). Wahß dann der Kall Ebbes?

KNIPPELIUS. Gott bewohr! Ich how-en nor weis gemacht, der Datterich ließ-em soge, er sollt sich erscht em vier Uhr an de drei Brunne eifinne, statt-em drei. Weider is nix nehdig. (Ab.)

Fünftes Bild – Dritte Szene

Marie, gleich darauf Dummbach.

MARIE. Wos er nor im Sinn hot! Es geht doch nix iwwer en Studirte!

DUMMBACH. Mei, is der hessisch Hausfreund noch net do? Es soll gewiß widder [1] so e geistreich Lehrgedicht drin steh. Wann ich nor wißt, wie der Mensch eigentlich haaßt: es is Alles, wos er schreibt, so akkerat, ma mahnt, es mißt's e rechda dorchdriwwener Advekat geschriwwe hawwe, wo viel Zeit zu so Sache hot. Nor varrahde sei Werke einigen Stolz mit Hochmuth un Eidelkeit vamischt.

Ehkrippel = Ehekrüppel; Gunnernhause = Gundernhausen, Gemeinde zwischen Darmstadt und Dieburg; Stemmche = Stämmchen, eine Gruppe; stootsmäßig = staatsmäßig; Dibborjer = Dieburger. Dieburg, Kreisstadt östlich von Darmstadt; hessisch Hausfreind = „Hessischer Hausfreund", erschien von 1840 bis 1856 als Unterhaltungsbeilage zum „Darmstädter Journal"

1 Hier sind im Erstdruck von 1841 einige Wörter von der Zensur geschwärzt worden. Versuche, die Stelle, die das Pseudonym des Lehrgedichtverfassers enthalten haben muß, zu rekonstruieren, scheiterten.

Großherzoglich Hessische Zeitung.

(Freitag.) Darmstadt, den 3 Januar 1840. Num. 3.

* Neuester Bericht über das vaterländische Gewerbwesen.

Darmstadt, den 1. Januar 1840.

Am 21. Dec. v. J. fand im Saale des Darmstädter ɔofs dahier eine Generalversammlung des Geoerbvereins statt, in welcher der Präsident desselben, ɔerr Min. Rath Eckhardt, in einer Rede Rechenschaft ber das Wirken dieses Vereins im abgelaufenen Jahre blegte. Wir theilen dieselbe unsern Lesern ihres allgeneinen Interesses wegen nachstehend vollständig mit, woaus man sich überzeugen wird, daß die wohlthätigen lbsichten, welche die Staatsregierung bei Gründung dieses Bereins im Auge hatte, immer mehr in Erfüllung gehen. — Reine Herren! Es ist bei uns eine wohlbegründete Bitte, in der letzten Versammlung des Jahrs einen Rückblick auf dasjenige zu thun, was in dem ablaufenden ahre geschehen, und eine kurze Uebersicht von dem Geeisteten zu geben. Auch dieses Jahr war reich an Erahrungen, und hat die alte Beobachtung bestätigt, daß s häufig nur eines Impulses bedürfe, um wichtige Veresserungen im Gewerbswesen hervorzurufen, und das ortschreiten desselben zu befördern. Dem Gesichtspunkt etreu bleibend, aus dem wir bereits bei der Gründung es Vereins unsere Aufgabe erfaßt haben, haben wir uch in diesem Jahre vorzugsweise dahin getrachtet, die r das Großherzogthum besonders wichtigen Gewerbsveige auf einen höheren Standpunkt zu bringen. — In nserer ersten Generalversammlung hatten wir einen Preis isgesetzt, dessen Zweck war, wo möglich eine Maschienweberei im Großherzogthum hervorzurufen. Dier Zweck ist nunmehr erreicht. Herr Joh. Christ. Hauff Offenbach hat ein solches Etablissement gegründet, hat nicht allein den Bedingungen der Preisaufgabe enügt, sondern auch durch Aufstellung einer Dampfaschine und einer schon jetzt nicht unbedeutenden Anzahl n mechanischen Webstühlen zu der Aussicht volle Bechtigung gegeben, daß diese Anlage immer mehr an usdehnung zunehmen und für das Großherzogthum derinst von großer Wichtigkeit werden wird. Diese Wichgkeit kann und wird um so größer seyn, als Hr. Hauff orzugsweise und später wohl ausschließlich seine Stühle r Leinwandfabrikation bestimmen wird, wozu die Schönerr'schen Maschinen, welche derselbe zu diesem Zwecke wählt hat, vorzugsweise sich zu eignen scheinen. ür Verbesserung der Flachsbereitung haben wir unre anfänglichen Bemühungen auch in diesem Jahre fortgesetzt. Wenn wir in dieser Beziehung auch gerade nicht von großen Erfolgen reden können, so ist doch nicht zu läugnen, daß wir wenigstens um einen Schritt weiter gekommen sind, und daß namentlich nunmehr die Hoffnung vorhanden ist, daß mehrere Gemeinden sich entschließen werden, einen in der Flachserziehung und Flachsbereitung kundigen Mann aus dem Auslande kommen zu lassen, um durch seine Unterweisung auf die Vervollkommnung dieses für Oberhessen so wichtigen Cultur- und Fabrikationszweiges hinzuwirken. Dieses Unternehmen wird sowohl von uns als den landwirthschaftlichen Vereinen durch Geldmittel unterstützt werden und wir dürfen von den fortwährenden Bemühungen unseres würdigen Ausschußmitgliedes, des Herrn Kammerdirectors Seidel in Lich, mit Zuversicht hoffen, daß er diesen Gegenstand zu einem erfreulichen Ziele führen wird. — Von den für Verbreitung der Feinspinnerei des Flachses ausgesetzten Preisen sind zwei in diesem Jahre gewonnen worden, wovon wir Proben auf unserer letzten Ausstellung gesehen haben. Dieser Gegenstand scheint uns besonders aus dem Grunde von Wichtigkeit zu seyn, weil er ohne Zweifel geeignet ist, mittelbar auf verbesserten Flachsbau und eine bessere Bereitungsweise desselben zurückzuwirken. Doch noch besser wird dieses Ziel erreicht werden, wenn eine Flachsmaschinenspinnerei ins Leben tritt, die nicht fabrikmäßig im Großen betrieben zu werden braucht, sondern auch im Einzelnen betrieben werden kann. Ihre vereinten Ausschüsse haben beschlossen, eine diesem Zwecke entsprechende Maschine zur Probe anzuschaffen, und ich behalte mir vor, Ihnen darüber später vollständigen Vortrag zu erstatten. — Von der Tuchfabrication im Odenwalde habe ich Ihnen nur Erfreuliches zu sagen, wenn auch das Ziel, welches wir uns vorgesteckt haben, noch nicht als vollständig erreicht betrachtet werden kann. Die Untersuchungen, welche in Folge unserer diesjährigen Gewerbausstellung stattgefunden haben, und namentlich die Resultate der Expertise, welche bei den drei bedeutendsten Fabrikanten vorgenommen wurde, die als Concurrenten um die ausgesetzte Unterstützung von 1200 fl. aufgetreten waren, haben gezeigt, daß diese Fabrikation im Fortschreiten begriffen ist. Nicht nur haben die vorgelegten Tuchfabrikate gegen die früheren Erzeugnisse des Odenwalds in Bezug auf Ansehen und Lüstre bedeutend gewonnen, sondern man hat sich auch überzeugt, daß die mechanischen Einrichtungen der Herren Mülberger, Rerroth und Arzt zum größten Theil schon

MARIE. Ich glahb, er is in der Kich abgäwwe worn, ich will emol gucke. (Ab.)
DUMMBACH. Dapper dich! (Sieht ihr nach.) Wos steht mer aus! Der Schmidt hengt er doch nooch, ihr Backe sinn net mehr so roth, wie sonst, un sie macht drihwe Aage. No, ich kann's net ennern. Er wehr mer als Schwiejersohn net unrecht gewäse, wann er orndlich gebliwwe wehr, awwer en Werthshauslumb kann ich net brauche, un den gibt er, wann er'sch noch net is, kahn bessere Lehrmaster kennt er net hawwe, als den Flabch, obschon er ziemliche Eisichte in die Bolidik varreth.
MARIE (kommt zurück). Ich hab Ihne Ihr Zeidunge enuf in Ihne Ihr Stubb gedraage.
DUMMBACH. Recht, mei Dochda. Geh emol her un geb mer e Hand. Guck mer emol ufrichtig in's Gesicht: host-de der'n aus dem Sinn geschafft, he?
MARIE (lacht). Ja, Vadda, des geht net eso uf der Post.
DUMMBACH. Der muß extrapost aus deim Kopp.
MARIE. Ja, wann er sich nu awwer ennern deht?
DUMMBACH. Des sollt mich wunnern.
MARIE. No, wann er'sch nu awwer doch deht?
DUMMBACH. Do wehr-er als noch net recebirt.
MARIE. Des werd sich aach noch gäwwe. De Datterich hot er abgedankt.
DUMMBACH. Des sollt mer lieb sei: obwohl's aach heifig vorkimmt, daß mer abgedankte Minister un so Leit widder ervorzickt. Der Schmidt hat awwer demohneracht Viel widder gut zu mache. (Ab.)

Fünftes Bild – Vierte Szene

MARIE (allein). Ach, der Vadda is gor gutche! – Herr Je! jetz muß er de Brief finne – ich haw-en grad uf die ewwerscht Staffel gelehkt. – Wann ich mich nor besser vastelle kennt: die merke mer'sch gewiß oh. Er kimmt werlich schon der Drepp erunner – wo haw-ich dann mei Strickzeig? (Sie setzt sich, strickt und trällert ein Liedchen.)

Fünftes Bild – Fünfte Szene

Marie, Dummbach mit dem Brief.

DUMMBACH. Wie verlahft sich dann der Brief do owwe vor mei Stuwwediehr?
MARIE. Er werd gewiß widder von so eme Lodderiejudd sei.
DUMMBACH. Do hett-en doch der Briefdreejer wahß Gott net uf de Gang geschmisse. Die Adreß laut an mich. Eigentlich sollt mer do e Bisje Vorsicht gebrauche, dann in de Zeidunge liest mer efdersch, daß als bei so Brief e Exblusion erfolgt. (Er erbricht den Brief mit weggestreckten Händen und abgekehrtem Gesicht.) Is er uf?

---

dapper dich = tummele dich!; Flabsch = Flaps, Flegel; eso = gerade so wie; demohneracht = unerachtet dessen; ewwerscht = oberst; Staffel = Stufe; Lodderiejudd = mit Lotterielosen hausierender Jude

MARIE (das Lachen verbergend). Noch net ganz.
DUMMBACH. Jetz!
MARIE. Ja.
DUMMBACH. Bin begierig. (Setzt sich und liest. Seine Mienen nehmen den Ausdruck des höchsten Erstaunens an; aufspringend.) No, jetz sog ich awwer kah Wort mehr! Ich bin stumm! Läwe mer dann in der Derkei odder in eme sivelisirde Staat? Lahf un ruff dei Mudda!
MARIE. Wos is dann nor?
DUMMBACH. Lahf un ruff dei Mudda, soog ich!
(Marie ab.)
Muß dann der Sadann grood uf mich vafalle! Ahm sei Bisje Ahgeduhm net mehr sicher, wo mer sich drum geblagt hot wie e Hund! Wos e Nidderdracht von so eme Schandlappe!

Fünftes Bild – Sechste Szene

Marie, Dummbach und seine Frau.

FRAU DUMMBACH (verdrießlich). Wollt-er dann abselut vabrennzelte Wersching esse, daß-d'er mich grad alleweil aus der Kich rufft, wo ich des Mehl un die Zwiwwel droh geschitt hob?
DUMMBACH (alteriert). Den loß du in Gottes Nome ohbrenne, hier schwätze mer von annern Sache, nemlich, daßdes Haus net ohgebrennt werd!
FRAU DUMMBACH (ungeduldig). Gewiß widder Ebbes aus der Zeidung, des mer ohhehrn muß: du hast mer ja vohrt erscht von de Derke vorgeläse. No, so eil dich.
DUMMBACH. Nix Zeidung! – Owacht! Den Brief fin ich drowwe uf der Drepp: ich will en vorläse, dann wern eich die Aage ufgeh mit Schrecke[1]. (Liest.)
„Herr Dummbach!
Das Schicksal, welches mich verfolgt, nöthigt mich zu einem Mittel, welches ich nur ungern ergreife. Sie, mein Herr, habe ich zu meinem Helfer ausersehen und wünsche nicht, daß Sie mich durch Verweigerung meiner Bitte auf das Aeußerste bringen.
Ich habe fünfhundert Gulden dringend nöthig. Sie werden mir diese Summe längstens bis heute Mittag Punkt drei Uhr entrichten und zwar auf folgende Weise: Zwanzig Schritte hinter den drei Brunnen steht ein Buchbaum, an dessen Fuß sich ein rundlicher, ziemlich großer Stein befindet" – O hest-de den Stah im Maage, Dieb! – „unter denselben legen Sie gefälligst die fragliche Summe, von wo ich sie alsdann abholen werde."
Die Finger misse Demjenige lohm wern, wo Des geschriwwe hot! –
MARIE (bei Seite). Gott, wos macht der Fritz!

Ahgeduhm = Eigentum; vabrennzelt = angebrannt; Wersching = Wirsing; geschitt = geschüttet.
1 Dieser, sowie der frühere Brief muß einigermaßen mit Darmstädtischer Betonung gelesen werden. (Anmerkung der Erstausgabe.)

FRAU DUMMBACH. Des is awwer aach e Zumuhdung!
DUMMBACH. Horch nor weider! (Liest.)
„Wenn um die bestimmte Stunde das Geld nicht da ist, so haben Sie es sich selbst zuzuschreiben, wenn ich Ihnen das Haus über dem Kopf anzünde."
FRAU DUMMBACH (tut einen Schrei). Um's Himmelswille net! Gäw-em des Geld! Wie haaßt er dann?
DUMMBACH. Ja, wann mer Des wißte?
FRAU DUMMBACH. Der Nohme muß doch drunner steh?
DUMMBACH. Der werd sich hihte.(Legt den Brief weg.) Nein, Des is gäje alles Velkerrecht! Die Marie do sieht aach ganz vageistert aus.
MARIE. Ach! (Für sich.) Der Fritz dreibt's aach zu weit.
DUMMBACH (resolviert). Jetz schwätzt. Von dene finfhunnert Gulde soll-em der Leib net schwelle, Des steht emol fest.
FRAU DUMMBACH. Wann er-der awwer nu des Haus ohsteckt? For finfhunnert Gulde will i c h noch net vabrenne.
DUMMBACH. Vor was sinn mer dann in der Feiervasicherungsohstalt?
MARIE. Ja, awwer die Mehwel net un mer sinn aach in kahner Läwensvasicherung.
FRAU DUMMBACH. Ja, wann nu Ahns im Schlaf mit vabrenne deht, wo so in der Zastreiung net wach werd? Ich duh kah Aag mehr zu! (Dringend.) Lehk des Geld unner de Stah, un wann mer Kadoffel esse misse!
DUMMBACH (heftig). Wos? So eme Mensche soll ich mei Geld in de Rache werfe, wo mit dem Laster des Mordbrennens behaft is? Ei, der kehmt noch efter un deht Ahm sei Blutkreizer obzappe! (Nach einer Pause.) Wißt-er wos? Alleweil fellt mer Ebbes ei: der Brief muß uf die Bolezei! Uf die Bolezei muß er!
FRAU DUMMBACH. No, un wie do?
DUMMBACH. Wie do? — Do vasteckele sich Bolezeidiener hinner de Behm in der Neh, un wann er dann kimmt un will des Geld hole —
FRAU DUMMBACH (naiv). Do is kahns do.
DUMMBACH. Wos? Do krijje se'n am Schlawitch, de Galjevogel.
MARIE (für sich). Der Fritz is e Oos!
DUMMBACH. Daß ich net glei do druf vafalle bin! Her de Brief! Der soll sich sei Noos widder stoße! (Eilt ab.)
FRAU DUMMBACH. Geb uf's Esse Achdung, Marieche, ich spring nor emol eniwwer zu meiner Schwesta. (Ab.)

Fünftes Bild — Siebente Szene

MARIE (allein). Des wehr glicklich iwwerstanne! Nor wollt ma die Vastellung net so recht von der Schipp: awwer ich muß es dem Kall zu Lieb. Ehr sich Der mit dem nixnutzige Kerl erum schießt — (Sieht durchs Fenster.) Ach do is er ja! Er kimmt eruf — um die Welt derf er nix merke.

Blutkreizer = letzter Kreuzer, vgl. „bis aufs Blut aussaugen"; Behm = Bäume; Schlawitch = Schlafittich, urspr. Schlagfittich: Schwungfedern des Gänseflügels, später übertragen auf Rockschoß; von der Schipp = vonstatten

Fünftes Bild – Achte Szene

Marie und Schmidt.

SCHMIDT. Ich wollt-der Adjeh sage, Marieche.
MARIE. Ach, so schlimm werd's doch net kumme. Wor der Herr Knippelius bei-der?
SCHMIDT. Ja. Es sollt erscht um vier Uhr vor sich geh, hett der Datterich gesagt.
MARIE. Er werd Engste hawwe.
SCHMIDT. Da hot er net Unrecht, ich schieß-em en Flitch vom Leib, wann ich kann.
MARIE. No, wann er d i c h nu trifft?
SCHMIDT (zärtlich). Da haw-ich's um dich vadient. Ich wohlt, ich kennt for dich stärwe!
MARIE. Geh mer ewäck! Wer werd dann an's Stärwe denke? Wos deht dann do aus mir wern?
SCHMIDT (wehmütig). Du dehst mit eme Annern glicklicher wern, als wie mit mir.
MARIE (für sich). Ich will-en emol recht beetze. (Laut.) Wahßt-de was, Kall? Geh net an die drei Brunne.
SCHMIDT (bestimmt). Den Wunsch kann ich der net erfille. Sich, un wann e Engelche vom Himmel kehm un deht mich fußfellig drum bitte: es deht nix draus wern.
MARIE. Worum host-de dann de ferchterliche Zorn uf de Datterich?
SCHMIDT. Deß kannst-de der doch leicht abklavirn. Wann d u net letzthin im Herrngatte komme wehrscht: – in Gold sollt mer dich eifasse! Un wos die Drassem geknallt hot: wie de'm die gestoche host, do how-ich mei Unrecht erscht recht eigesähe: ich sähjen die Ohrfei! –
MARIE (gutmütig). Du hast eigentlich aach ah vadient.
SCHMIDT. Do is mei Backe: ich will net muckse.
MARIE (gibt ihm einen leichten Schlag). Die host-de eweil uf Abschlag, die annern krickst-de noch. Do host-de aach eweil e Sternsknaup.
SCHMIDT. Guck, wann mich der Datterich noch lang so erum geschlahft hett, do wor ich-der e valohrner Mensch.
MARIE. Wie hot er'sch dann nor gemacht? Du bist awwer aach e rechder Hambel.
SCHMIDT. Des erscht wor, daß er mer sei Protection vasproche hot; do how-ich gedenkt: dem Mann mußt-de e Bisje zu Gefalle läwe, des is dem e Bakedell, uns glicklich zu mache. Do bin ich dann mit-em, un wann er als kah klah Geld bei sich hatt, do how-ich's for-en ausgelehkt un hob gedenkt: des krickst-de mit Indresse widder.
MARIE. O schreib's in Schornstah! No, wie hot er dich dann an's Evche gebracht?
SCHMIDT. Ach schwei mer jetz davoh still! Du host jo gesähe, daß mer'sch kah Ernst wor.
MARIE. Ja, wer wahß! Wann ich des Evche gewäse wehr? –

Flitch = Zipfel; auch die Flügelreste an gebratenem Geflügel werden so genannt; abklavirn = abklavieren, mit den Fingern auf dem Klavier zusammensuchen: zusammenreimen; Drassem = Ohrfeige; Sternsknaup = scherzhafter leichter Stoß gegen die Stirn mit vorgeschnelltem Finger; Hambel = Hampelmann; Bakedell = Bagatelle

SCHMIDT. Willst-de mer dann abselut mei Poor letzte Stunde vabittern?

MARIE. Dei Poor letzte Stunde? Geh, setz-der doch net so Sache in Kopp!

SCHMIDT (wehmütig). Ja, Marieche, es is net annerscht; ich hob so e Ahnung: er schießt Ahm e Sechskreizerstick aus dem Maul, wann's nor vertels ervorguckt; er hett schon emol beinah Ahn doht geschosse.

MARIE. Die wo Der doht geschosse hot, läwe all noch.

SCHMIDT. Die ganz Nacht hat mer'sch vom Datterich gedrahmt, un er hot als fort hehnisch gesagt: noch e Budell! Noch e Budell! Ich glahb, mer wern uns net widdersähe. Es wehr so schee gewäse, wann mer uns krickt hette: awwer du sollst mei letzter Gedanke sei.

MARIE. Ach, Liewer, duh mer de Gefalle un schieß dich net!

SCHMIDT. Alles sunst, nor Des net: ich duh's un wann ich vadrähte wer. Un daß-de noch als emol an mich denkst, wann mer vielleicht schunt mit meine Knoche Niß ufkloppt: – da! (Gibt ihr ein Päckchen.) Leb' wohl! (Stürzt ab.)

Fünftes Bild – Neunte Szene

Marie, hernach Dummbach.

MARIE (mitleidig). Du ohrmer Deiwel! Er mahnt, es wehr Madeh am Letzte! Sei mer undrei! Jetz host-de die Engste davor! Wann ich nor e Buffink sei kennt un kennt uf dem Bahm sitze, wann die Bolezeidiener iwwer'n hersterze, ich deht mich ästig lache.
(Dummbach kommt.)

MARIE (ihm entgegen). No?

DUMMBACH. Alles in Richdigkeit. Jetz vor alle Ding is mer gesagt worn: des Maul gehalde – kahm Mensche Ebbes davoh gesagt, sunst peift er uns wos, daß er kimmt. Wo is dann die Mudda?

MARIE. Sie is uf en Sprung eniwwer zu der Dante.

DUMMBACH. Do howwe mer'sch jo! Die kann's net uf dem Herz behalte, sunst wehr-er der Herzbennel geblatzt! O Weibsleit!

Fünftes Bild – Zehnte Szene

Vorige, Frau Dummbach.

FRAU DUMMBACH. Ach mei Schwesta wor ganz außer sich! Die Welt deht alle Daak schlechter wern, hot se gesogt: se will aach ausziehe, daß, wann's bei uns Feier gehbt –

---

vadrähte = zertreten; Madeh am Letzte = Matthäi am Letzten; es ist aus, es ist zu Ende; Buffink = Buchfink; ästig lache = sich einen Ast lachen; Herzbennel geblatzt = Herzbändel geplatzt, das Herz gebrochen

DUMMBACH (ärgerlich). Ja, daß-se sich dann net des Hern vabrenne deht, wie du olt Weschfrah!

FRAU DUMMBACH. No, wos willst-de dann von m i r?

DUMMBACH. Host-de dann net soviel Eisicht, daß, wann mer des Ding an die groß Glock hengt, daß der kujon dann gewiß ewäck bleibt?

FRAU DUMMBACH. No, ich hob's jo nor meiner Schwesta gesogt.

DUMMBACH. Des is grood so gut, als wann-des hest ausschelle losse. Die setzt jetz ihrn Schwortemooge uf un werft ihrn Schanzelupp um un lahft vun Pontio bis zum Pilato un kreischt's aus: die nimmt kah viel Geld davor, daß se's net wißt. Duht mer awwer noch Ahns e Maul uf!

FRAU DUMMBACH. Nah, for die bin ich gut, wann Die e Wertche ewäck sehkt –

Fünftes Bild – Elfte Szene

Die Vorigen, Evchen.

EVCHEN (hastig). Gemorje! Is es dann wohr?

DUMMBACH. Wos dann?

EVCHEN. Es wehr heit Nacht Feier bei Ihne ohgelehkt worn.

DUMMBACH. Ei so soll dann aach! Wer hot Ihne dann Des gesogt?

EVCHEN. Ei wie ich do äwe iwwer de Rittstah gange bin, is mer Ihne Ihr Frah Schwesta begäjent un hot mer'sch erzehlt. Sie wor sich ganz außer Odem gange.

DUMMBACH (zu seiner Frau). Sollt mer eich net all die Meiler zubabbe? O Weibsleit, eier Zunge sinn des Deiwels!

EVCHEN. Im Hollstall wehr'sch ohgange. Jetz hett's Ahner von dene Bäckersch-junge do näwe gesähe, wie er Welle hett hole wolle, do wehr als der Raach ganz dick in die Heeh –

DUMMBACH. Mer mahnt, Die wehr dabei gewäse.

FRAU DUMMBACH. So how-ich owwer doch net azehlt.

DUMMBACH. Loß die Klawatsch nor geh: bis iwwermorje sammelt se schun for uns in ihrer Schnuppdewacksduus als Obgebrennte! No, weider, Evche.

EVCHEN. Un do hett-er en ganze Wisch Stroh aus Ihne Ihrm Hollstall gezoge, wo schon ganz geglimmt hett. Ich bin zum Doht erschrocke.

DUMMBACH. Den Schrecke hette-Se spohrn kenne. Daß meiner Frah ihr Schwesta lickt, des is stadtkundig, un wann so Weibsvolk kah Neuigkeite wahß, do macht sich's selbst. Es is alles vastunke un valoge, des soge-Se de Leit.

FRAU DUMMBACH. Do sieht mer doch recht, wie mer unschullig in's Geschwätz kumme kann!

Der Vorhang fällt. Ende des fünften Bildes.

Weschfrah = Waschfrau; Schwortemooge = Schwartenmagen, Ulkbezeichnung für große Haube; Schanzelupp = ndl. schansloper: Schanzelooper, Überjacke; Rittstah = Rittstein; so wurde ein Teil der Obergasse in der Altstadt genannt; zubabbe = zukleben; Hollstall = Holzstall; Klawatsch = Klatschbase; Schnuppdewachsduus = Schnupftabaksdose; Wisch = gebundener Büschel; vastunke un valoge = erstunken und erlogen

Sechstes Bild – Erste Szene

Wirtshaus, Datterich, Spirwes, Lisette.

DATTERICH (zu Lisette, am Fenster). Wos is dann des for e ohgehender Bechdraht, wo alsfort eruf guckt?
LISETTE (bei Seite). Du werscht's schon gewah wern. (Laut.) Er werd sein Mahster aus eme Werthshaus hole solle un wahß net, aus welchem.
DATTERICH (hinaussehend). Wos er erschrocke is, wie er mich äwe gesähe hat! (Ruft hinaus.) Geh hahm un soog deim Mahster, es wer gut!
LISETTE (bei Seite). Des werd er zu deim Lahdwäse duh.
DATTERICH. Alleweil lahft-er. Eil dich net so, Alter, der Knierieme lahft-der net fort, du kannst dein Buckel voll Schlee noch frih genug fasse!
LISETTE (für sich). Du aach.
DATTERICH (wendet sich zu Spirwes). Ja, liewer Freind, Des vasich'r ich Sie, wäje Ihne duht mer'sch am Lahdste, uf Ehr! Ich wahß, Sie weihe meim Ohdenke e Drehn.
SPIRWES. Fufzeh, wann's sei muß. Ich wahß schun Jemand, des wo mer die Dohtesohnzeig ufsetzt: wann ich Dem gute Wort geb, do macht er se so schee, wie er sich for sich selbst mache deht: wann's net wohr is, derfe-Se mich en Spitzbub haaße. Awwer wos brauche mer glei an's Schlimmst zu denke? Sie kenne'n jo aach treffe.
DATTERICH. Ich will-en schone. Wann er geschosse hat un ich bin noch am Läwe, da schieß ich in die Luft un sog: Sähe-Se, so rächt sich der Datterich! – un valihr mich großmithig in's Gebisch.
SPIRWES. Des deht ich net. Wer mir nooch dem Läwe sträbt, dem werd widder danooch geträbt: haagst-de mein Judd, do haag ich dein aach. Gehn-Se heit nooch Drahse?
DATTERICH. Ich kann mich doch net doppelt mache!
SPIRWES. Ja so, ich bin ganz confus. No, bei jedem Schluck will ich an Ihne denke. Warum trinke-Se net?
DATTERICH. Ich hob kahn rechte Luste.
SPIRWES. Des haaßt uf Deitsch: kah Geld. Dann, daß Sie in kahn Meßigkeitsverein gedrähte sinn, des wahß ich zum Voraus. No, es kimmt mer aach net druf oh, weil's doch der Obschied is. Lisettche!
DATTERICH (zu Lisette). Wos macht Ihne Ihr Schatz?
LISETTE. Bekimmern-Se sich doch net um ungelehkte Eier.
DATTERICH. Wisse-Se wos? Ich will Ihne Ihr Schatz wern.
LISETTE. Liewer gar kahn. (Ab.)
SPIRWES. Die vabittert Ihne aach noch des Bisje Läwe mit ihre korze Redde.
DATTERICH. Sie mahnt's doch gut un leckt alle zeh Finger nach mer. (Datterich will sich eine Pfeife anzünden.)
SPIRWES. Mer mahnt, die Peif wehr vastoppt.
DATTERICH. Im Gäjedahl, sie hat kah Luft. (Legt sie weg.)
(Lisette kommt mit Wein.)

Bechdraht = Pechdraht, Ulkname für Schuster

DATTERICH. Is Des von dem Faß, wo die schwatz Katz druf sitzt?

LISETTE. Sie kumme mer grood vor, als wann-Se'n ohne schwatz Katz steh losse dehte.

DATTERICH (sieht durchs Fenster; für sich). Der Deiwel!

SPIRWES. No, gehn-Se her. Mer wolle uf de Ohrme ihr Gesundheit trinke. Wohl bekumm's uns gehorschamst. (Trinkt.) D e r Wei schleicht so sanft bei Ahm.

DATTERICH (stürzt ein Glas hinunter). Es fellt mer do äwe Ebbes bei. Nemme-Se mer'sch net iwwel – es bressirt – Adjeh! (Eilt schnell ab.)

SPIRWES (ruft ihm nach). Halt, Schimmel, sinn-Se narrig? (Schüttelt den Kopf.) Annerscht kann ich mer'sch net erklehrn, dann in seine vaninftige Zeide hot er sei Lebdaag kahn Droppe im Gloos gelosse.

LISETTE (lacht). Ich wahß, worum er sich geflicht hot. Ach, horche-Se emal den Schbekdakel im Heefche! – Da muß ich gucke! (Ab.)

SPIRWES. Aach gut, do trink' ich mein Wei for mich, des is aach kah Landschade, un wos mer selbst genießt, schmeckt doch immer am Beste. (Setzt sich und blättert in der Zeitung.)

LISETTE (zurückkommend). Ach, ich lach'mer en Buckel! Da draus – im Heefche – da hot der Schuhmacher Bengler mein Datterich un schmeißt-en ganz gott-sträflich! Eile-Se sich, wann Se's noch sähe wolle – so en Kohl haw-ich noch net erläbt! – (Ab.)

SPIRWES (trinkt schnell aus). Daß ich e Na(rr) wehr! Bei mir soll der Spaß net rebedirt wern. Alleweil geht's bei mir hinne enaus! (Nach einer andern Seite ab.)

Sechstes Bild – Zweite Szene

LISETTE (kommt zurück; lachend). Alleweil hot er sei Mackes! Des geschieht-em Recht for die siwwen-un-verzig Kreizer, wo er mer in's Gesicht abgeleigent hat un ich hab-se aus meim Sack zulehje misse. Den Datterich un de Spirwes, die sollt mer zusamme in e Kanon lade; do duht Ahm die Wahl weh, wer von-en der Schlähchst is: die sinn so dorchdriwwe, die fange de Deiwel im freie Feld.

Sechstes Bild – Dritte Szene

Lisette, Knerz und Bennelbächer im Gespräch.

KNERZ. Er frißt kah Schuhwichs, sag' ich Ihne, un beißt aach kah Ohweschrauwe ab, wann er sich noch so sehr stellt. Wann sich D e r schießt, wie er iwwerahl mit seim beese Maul erzehle duht, do loß ich mich in sauerer Soos esse.

Kohl = Unsinn, Spaß; Mackes = hebr. makkoth: Schläge, Prügel; Ohweschrauwe = Ofenschrauben; der beißt kah Ohweschrauwe ab: der kocht auch nur mit Wasser

BENNELBÄCHER. Schadd, daß Se net uf de Speiskatt stehn, es mißt e zohrt Breckelche gäwwe.
KNERZ. Ich wehr wenigstens ehnder zu genieße, als wie Ihne Ihr schlähchte Witzer.
BENNELBÄCHER. Ich wohlt, ich hett mei nein un dreißig Kreizer von-em.
KNERZ (gleichgültig). Hahge-Se'n. Lisett, mer trinke en Schoppe.
(Lisette bringt den Wein und unterdrückt das Lachen.)
BENNELBÄCHER (zu Lisette). Wos is dann des for e Gegikkel?
KNERZ (zärtlich). Wos lache-Se dann so, Märzvajehlche?
LISETTE. Ich wer doch noch lache derfe? (Für sich, im Weggehen.) Alter Schippekeenig!
BENNELBÄCHER (hat eine Zeitung ergriffen; wohlgefällig). Sich emol, die Hamborjer!
KNERZ (trinkt). Un, wos is mit Dehne?
BENNELBÄCHER. Sie oppenirn sich do recht hibsch gäje en Mißbrauch, der wo leider allzusehr um sich reißt: sie howwe nemlich de neienstannene Mäßigkeitsverein in seiner Geburt gehahge.
KNERZ. Uf-en, ich hett geholfe. Sie aach?
BENNELBÄCHER. Ich hett aach mei Iwwerzeigung aus alle Kräfte vafochte, ich will's net in Obredd stelle. Es daugt zu nix. Alleweil brauche-se aach in alle Eck die Wasserkur: – wann's als noch Ewwerstädter odder Mannheimer Wasser wehr –
KNERZ. Do kennt mer sich's ehnder gefalle losse. Ich glahb, hier deht's aach kah Gut, wo schon die viele Morjendvareine bestehn un sich schunt so lang eme gute Fortgang erfreie.
BENNELBÄCHER. Es gehbt Krawall.

Sechstes Bild – Vierte Szene

Die Vorigen. Bengler.

BENGLER. Gehorschamer. – E halb Scheppche un e Breedche!
KNERZ. How' ich Ihne net äwe gesähe, wie mer erinn sinn?
BENGLER. Ja, ich hatt Ahm nor in der Geschwindigkeit e Rechnung quittirt. (Heimlich zu Lisette.) Sie howwe Nix gesähe –
LISETTE (lachend). Ich wahß von gor Nix.
BENGLER. Un dem Mann, wo draus arweite duht, dem sein-Se so gut un gäwwenem en Schoppe uf mei Rechnung. (Holt erleichtert Atem und sieht sich mit zufriedenen Blicken um.)
BENNELBÄCHER (zu Knerz). Ich hett net gedenkt, daß die Mainzer so dienstferdige Leit wehrn.

---

ehnder = eher; Gegikkel = Gekicher; Märzvajehlche = Märzveilchen; Hamborjer Mäßigkeitsvereine = 1840 wurde in Hamburg ein Verein gegen den Schnapskonsum gegründet. 1841 sprengten Andersdenkende eine seiner Versammlungen. Darüber berichtete u. a. die Großherzogliche Hessische Zeitung vom 24. Januar 1841; Ewwerstädter odder Mannheimer Wasser = Unter dem Namen Eberstädter und Mannheimer Wasser wurden in Eberstadt, damals Vorort von Darmstadt, Liköre hergestellt; Morjendvaeine = Morgenvereine, Frühschoppenvereine; gehbt = gäbe

KNERZ. Ja, Des kennt mer'n aach sunst, soviel ich wahß, net grood noochsoge.
BENNELBÄCHER. No, howwe-se net ihre Nochberschleit, do de Biewricher, so un so viel Schiff voll Stah zu ihrm Hafe gefohrn un wolle kahn Heller davor?
KNERZ. Ja so! No, sie howwe Recht: es geht Nix iwwer e gut Nochberschaft. Die Biewricher wern sich aach net undankbor finne losse.
BENGLER (trinkt aus und geht). Ich winsch Ihne Gemorje, meine Herrn.
BENNELBÄCHER. Sie eile jo merderlich.
BENGLER. Mei Geschäft, wo ich hatt, is soweit verricht. (Ab.)
KNERZ. Ja, ich geh aach.
BENNELBÄCHER. So mutterselig ellah will ich aach net do sitze. Ich geh mit. (Beide ab.)

Sechstes Bild – Fünfte Szene

Verwandlung. In der Nähe der drei Brunnen. Zwei Polizeidiener.

ERSTER. Bald bin ich des Wartens müde. Ich glaube gar nicht, daß Jemand kommt.
ZWEITER. Schweig'! Da kommt Einer.
ERSTER. Es ist der Datterich.
ZWEITER. Fort, Der ist's eher wie nicht! (Sie eilen hinter das Gesträuch.)

Sechstes Bild – Sechste Szene

DATTERICH (etwas hinkend, sieht sich um). Noch net da? – Autsch! ich glahb, mei Juddeknechelche is kabutt. Es is mer lieb, daß er noch net do is, ich kann mich doch erscht e Bisje sammele, dann wie mich der Bengler vorhin in der Arweit hatt, haw-ich doch net so recht driwwer nachdenke kenne. (Hinkt auf und ab.) Wann ich in ere Läwensvasicherungsohstalt wehr, da hette die Actionär gewiß Ehme krikt, wann-se unsern Dischbuth mit ohgesähe hette. Autsch! – da hat mer der Kerl noch emal so in die Kniekehl geschmisse, wie ich mich dorch's Dohr salvirt hab, ich hab gemahnt, ich mißt mich uf dem Dobch erumdrehe. No, jetz sinn mer kitt – Doch net! wann ich's recht iwwerleg, so is der Vorthel ganz uf meiner Seit: ich hett eigentlich de Bengler bezahle solle, un jetz hat er mich bezahlt, un des for gut – die Bescheinigung steht mit blauer Frakduhr uf meiner Rickseit. Awwer damit sinn mer noch net fertig, Benglerche, Liewes! Ich hab Zeige for die unsanft Behandlung, wo sich net gehehrt: die Lisett un de Holzmacher, die hawwe's gesähe: Schmerzegeld will ich hawwe un for mei beleidigt Ehr: du hahgst Kahn mehr, Werthgeschätzter!

Nochberschleit = Nachbarsleute; Biewricher = Biebricher. Anspielung auf den von der hessischen Regierung 1841 im Rhein oberhalb Biebrich gezogenen Steindamm, der dem nassauischen Hafen Biebrich den Wettbewerb mit dem Mainzer Hafen unmöglich machen sollte; mutterselig ellah = mutterseelenallein; Juddeknechelche = Musikantenknochen am Ellenbogen; Ehme = hebr. emah: Schrecken, Furcht; Dobch = Kreisel

die Steinfarth auf dem Rhein den 28 F.^{chr} 1841.

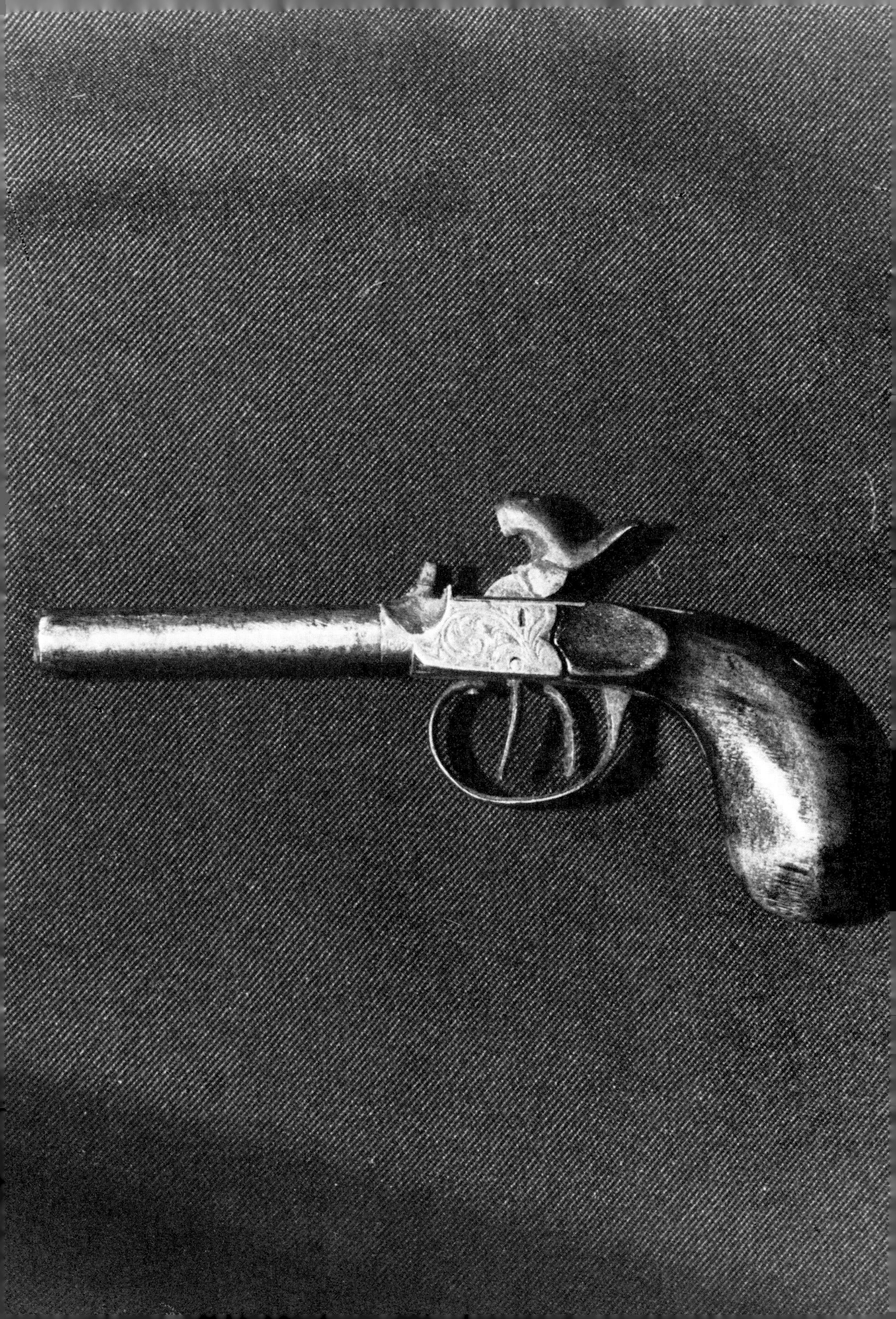

Mei Schmidt bleibt lang. Es is schon halwer vier. Ich wer-em e recht vaächtlich Gesicht mache, mit einigem Wohlwolle vabrehmt. (Wirft sich in Positur, als hätte er ihn vor sich.) Sinn-Se doch endlich da? Bedrachte-Se noch emal die Gewechse un die iwwerig Naduhr um sich erum, vielleicht sähe-Se-se in wenige Minute aus eme hehere Gesichtspunkt. Sehen Sie, hier haw-ich die Pistole (klopft auf die Rocktaschen), es hannelt sich jetz hier um Sein odder Nichtsein!

(Nach einer Pause.)

Iwwer'sch Sackduch? daß mer am End des Pulwer die Atzel vabrenne deht, wo noch net emol bezahlt is?: Fufzeh Schritt aus enanner, da schadt Ahm de Pulwerdamp nix, un daß Ahm die Kuchele nix schadde, da dafor is gesorgt, dann ich hab-se hausgelasse. Wann er dann recht perplex is, dann werd der Edelmithig gespielt un gesagt: ich will Ihne de erschte Schuß abdrähte. Wie er schießt, werd mit der linke Hand geschlenkert, daß er mahnt, er hett mich gestreift: for e Blässur hat mer der Bengler gesorgt: dann schieß ich in die Luft, schmeiß die Pistol ewäck un fall-em um de Hals: er kann net widdersteh, er is mei, un de Vasehnungstrunk muß er in Drahse bezahle!

Ich seh awwer net ei(n), daß ich mich net e Bisje setz: der Stah dort is ja grad, als wehr er for mich hergelehkt. (Als er sich setzen will.) Mer mahnt, da wehrn Eemense, da muß mer emol rekonoscirn; als Bub hawwe mich die Eeser emal so schäckig gebisse, als wie e Forell. (Er kratzt mit dem Stock hinter dem Stein: in diesem Augenblick fallen die Polizeidiener über ihn her.)

Sechstes Bild – Siebente Szene

Datterich. Die beiden Polizeidiener.

BEIDE. Sie sind Arrestant!
DATTERICH (erstaunt). In welcher Beziehung?
ERSTER. In gar keiner. Nur mit gegangen!
DATTERICH (für sich). Die wisse, wos mer vorhawwe: awwer aus mir solle-se Nix bringe. (Laut.) Gell', ich bin e vabottene Wähk gange?
ZWEITER. Sie werden es selbst am Besten wissen.
DATTERICH. Ach, mir kenne uns jo, Liewer.
ZWEITER. Ja, man findet Sie zuweilen Nachts in der Gosse.
DATTERICH. Ich gehorch' dem Gesetz – (wirft heimlich die Pistolen ins Gebüsch) un steh zu Dienste. (Sie gehen ab.)

---

vabrehmt = verbrämt; Atzel = eigentlich Elster; gemeint ist Perücke; hausgelasse = herausgelassen; Eemense = Ameisen; Eeser = Öser, Äser (Biester)

Sechstes Bild – Achte Szene

Verwandlung. Stube in Dummbachs. Herr und Frau Dummbach, Marie.

DUMMBACH. Wos hot dann der jung Knippelius heit Morjend do gewollt? Ich how-en dem Dohr erei geh sähe, wie ich grood an der belgische Grenz wor.
MARIE. Ei ob mer Flahsch breichte.
FRAU DUMMBACH. Wos host-de dann for e Stick bestellt?
MARIE. Ei vom Eckpilf.
FRAU DUMMBACH. Hest-de doch von meim Mann seim Kalbskopp genumme, wo er so gern ißt.
DUMMBACH. Wern se'n dann jetz howwe?
FRAU DUMMBACH. Wen dann?
DUMMBACH. Ei unsern brandmeßige Mensche. Ich wehr eigentlich neigierig, denselwe kenne zu lerne.
MARIE (für sich). Ich kenn-en.
DUMMBACH. So e Mensch vadient kah Gnad. Awwer es is ganz nadihrlich, daß so Sache vorfalle. Krijje se mich, denkt so Ahner, do kumm ich in's Stockhaus, odder wie mer'sch jetz haaßt, Arresthaus, un do how-ich frei Kost un Loschie. For wos henke dann die Halseise am Roothhaus? Do gehbt's Forcht!
FRAU DUMMBACH. Werd dann morje Ebbes von dem Brandbrief in der Zeidung steh?
DUMMBACH. Wos braucht Des noch in die Zeidung? Du host dafor gesorgt, daß es die Leit wisse. Iwwrigens kimmt so Ebbes aach net in effentliche Blätter, bloß Sache aus dem bolidische Horizon, von de Besuche, wo sich die Podendate enanner mache, odder wann e Räjescherm erjendwo steh gebliwwe is, odder wann e Hauslehrer odder sunstig Dienerschaft gesucht werd. Bei de Brandbrief herngäje herrscht der Gebrauch, daß mer-se vadukkelt.

Sechstes Bild – Neunte Szene

Die Vorigen. Knippelius.

KNIPPELIUS. Fellmich, Herr Unkel! (Heimlich zu Marie.) Sie howwe'n am Bennel. (Laut.) Steht wos Neies in der Zeidung?
DUMMBACH. Do steht so Ebbes von dene Konstandenobelidanische Bäcker.
FRAU DUMMBACH. Gibt's dann dort aach Bäcker?
DUMMBACH. Wos e Froog!
FRAU DUMMBACH. Ich mahn doch, dort gehbt's kah Christe.
DUMMBACH. Als wann die Derke dort lauder Bisgewitt un Makrone fresse dehte. Wie dort Ahner zu leicht Brod vakaaft, werd er mi'm schullige Ohr an de Dohrposte genähjelt.

Eckpilf = Bratfleisch von den Weichteilen des Rindes; brandmeßig = brandmäßig, auf Brand aus; Horezon = Horizont; vadukkelt = verheimlicht; Bisgewitt = Biskuit

Allergnädigst privilegirtes
Darmstädter Frag- und Anzeigeblatt.

Num. 4. Samstag den 25. Januar 1840.

Pränumerations-Preis für den ganzen Jahrgang incl. der Beilage 1 fl. 36 kr. — für den halben Jahrgang 48 kr. vierteljährig 24 kr.

Victualienpreise vom 27. Jan. bis 2. Febr. 1840.

Ochsenmetzger

Namen	Wohnung L.	Wohnung N.	Wohnung Straße	Ochsenfleisch 1 Pf. kr.	pf.	Nierenfett 1 Pf. kr.	pf.	Sülzen 1 Pf. kr.	pf.	Ochsenleber 1 Pf. kr.	pf.
Arnheiter, G.	D.	47	Holzstraße	11	—	22	—	—	—	7	—
Arnheiter, J.	I.	48	Baustraße	11	—	22	—	—	—	7	—
Dressel, Ph.	D.	27	Schusterg.	11	—	22	—	—	—	7	—
Enes, Ludwig	D.	26	Schusterg.	11	—	22	—	—	—	7	—
Enes, Georg	D.	57	Bessungerst.	11	—	22	—	7	—	7	—
Geist, Wittwe	B.	22	gr. Ochseng.	11	—	20	—	—	—	7	—
Jacobi, Joh.	B.	63	gr. Ochseng.	11	—	20	—	—	—	7	—
Jacobi, Wt.	E.	22	Kirchstraße	11	—	20	—	7	—	7	—

Namen	Wohnung L.	Wohnung N.	Wohnung Straße	Ochsenfleisch 1 Pf. kr.	pf.	Nierenfett 1 Pf. kr.	pf.	Sülzen 1 Pf. kr.	pf.	Ochsenleber 1 Pf. kr.	pf.
Löwenstein, R.	D.	8	Marktstr.	11	—	22	—	—	—	7	—
Nungesser, P.	B.	29	gr. Ochsg.	11	—	22	—	—	—	7	—
Nungesser, R.	D.	15	Marktstr.	11	—	22	—	6	—	7	—
Ohl, Wittwe	E.	51	Ludwigsst.	11	—	22	—	—	—	7	—
Rummel sen.	A.	85	Obergasse	11	—	22	—	—	—	7	—
Rummel jun.	D.	48	Holzstraße	11	—	22	—	—	—	7	—
Wenner.	B.	124	lang. Gasse	11	—	20	—	—	—	7	—

Rindsmetzger

Namen	Wohnung L.	Wohnung N.	Wohnung Straße	Ochsenfleisch 1 Pf. kr.	pf.	Kuh- oder Rindfleisch 1 Pf. kr.	pf.	Nierenfett 1 Pf. kr.	pf.	Sülzen 1 Pf. kr.	pf.	Rindsleber 1 Pf. kr.	pf.
Köbler.	D.	33	Schustg.	10	—	10	—	20	—	—	—	6	—
Müller	D.	110	Kirchstr.	—	—	9	—	20	—	—	—	6	—
Lang, L.	D.	6	Marktst.	10	—	10	—	20	—	—	—	7	
Heil, Wt.	A.	53	Ballonp.	—	—	9	—	18	—	—	—	6	—
Dar, Ch.	B.	85	Holzstr.	10	—	10	—	20	—	—	—	7	—

Namen	Wohnung L.	Wohnung N.	Wohnung Straße	Ochsenfleisch 1 Pf. kr.	pf.	Kuh- oder Rindfleisch 1 Pf. kr.	pf.	Nierenfett 1 Pf. kr.	pf.	Sülzen Pf. kr.	pf.	Rindsleber 1 Pf. kr.	pf.
Hisserich	B.	73	kl. Bachg	10	—	10	—	18	-	6	—	7	—
Rummel	A.	111	Oberg.	10	—	10	—	20	—	—	—	7	—
Scharff	D.	38	Schustg.	10	—	10	—	20	—	6	—	6	—
Schmitt	D.	40	Schustg.	10	—	10	—	20	—	—	—	7	—

Kalbs- und Hammels-Metzger

Namen	Wohnung L.	Wohnung N.	Wohnung Straße	Kalbfleisch 1 Pf. kr.	pf.	Hammelfleisch 1 Pf. kr.	pf.	Hammelsfett 1 Pf. kr.	pf.
Arnheiter, Wilh.	B.	19	gr. Ochsengasse	9	—	9	-	22	—
Arnheiter, G.	B.	68	Schirmgasse	8	—	8	—	20	—
Arnheiter, Joh.	I.	41	Ludwigsplatz	9	—	9	—	22	—
Darmstädter, L.	E.	48	Ludwigsstraße	9	—	9	—	22	—
Daudt, Joh.	I.	39	Ludwigsplatz	9	—	9		22	—
Dressel, Wt.	K.	73	Ludwigsplatz	9	—	9	—	22	—
Guntrum, G.	D.	49	Holzstraße	9	—	9	-	22	

Namen	Wohnung L.	Wohnung N.	Wohnung Straße	Kalbfleisch 1 Pf. kr.	pf.	Hammelfleisch 1 Pf. kr.	pf.	Hammelsfett 1 Pf. kr.	pf.
Hein, Adam	B.	85	Holzstraße	9	—	9	—	20	—
Jacobi, Friedr.	B.	91	Lange Gasse	9	—	9	—	22	—
Koch, Adam	D.	103	Bessungerstr.	8	—	9	-	20	—
Lung, Friedr.	B.	3	gr. Ochsengasse	9	—	9	—	22	—
Marsteller, Joh.	D.	12	Marktstraße	9	—	9	—	20	—
Müller, G.	C.	12	gr. Bachgasse	9	—	9	—	17	—
Quiring, Carl	I.	28	Schulstraße	9	—	9	-	22	—
Roth, Heinrich	D.	54	Holzstraße	8	—	8	—	20	—
Rummel, Joh.	D.	7	Marktstraße	9	—	9	—	22	—

KNIPPELIUS. Wann Des hier aach so wehr, do deht mancher Bäcker Ohrring draage, wo-em die Bolezei des Ohrloch dazu gestoche hett.

MARIE. Wie gingt's awwer da erscht de Metzjer!

KNIPPELIUS. Mir gäwwe ehr en Knoche mehr, als daß mer zu leicht wieje dehte. (Zu Dummbach.) Wos ich Ihne schon lengst froge wollt, Herr Unkel! Ich hob mich letzt gestritte: is die Eisebahn e Nutze for Dammstadt odder net?

DUMMBACH. E bedeidender Nutze, ohne Froog. Nemme-Se nor, wieviel reise dann an Dammstadt vabei, die wo sonst ihr Lebdaag net vabeigerahst wehrn?

KNIPPELIUS. Wie werd's dann do de Blamahsche geh?

DUMMBACH. Die kumme nicht außer Dähtigkeit. Ohnedem sinn ihre Wäje manchmol orndliche Dampwäje, net in Beziehung uf ihr Schnelligkeit, sonnern in Bezuk uf de Knäller, wo als drin geraacht werd.

KNIPPELIUS. Gut gäwwe. Es wehr awwer doch emol Zeit, daß mer an der Eisebahn ohfange deht.

DUMMBACH. Mer denkt aach gäjewerdig sehr stack droh.

KNIPPELIUS. Wos werd's do als uf dem Chaussehaus so voll sei, dann do geht-se, glahw'-ich, unne dorch de Gadde; uf der ahne Seit die Herzer un uf der annern die Dampwäje: mer mahnt, mer wehr in Barihs. – Die Zepp solle jo widder ufkumme.

DUMMBACH. Daß ich net wißt. Un warum?

KNIPPELIUS. Wäje der Neujahrschnacht, daß mer die Kerl, wo geschosse howwe un dorchbrenne wolle, besser an de Zepp erwische kann.

DUMMBACH. Aus diesem Gesichtspunkt wehr diese Moosregel, ob se gleich e Bisje stack an's Middelalter erinnert, zu rechtferdige, dann mir is selbst die Neujohrschnocht so e Frosch beinoh in's Gesicht gehippt. Iwwadeß haw-ich aach noch mein Zopp gedraage un er hot Ahm ganz gut zu Gesicht gestanne.

KNIPPELIUS. Ich hol mer als dann un wann mein Zopp im Werthshaus.

DUMMBACH. Net iwwel. Weil mer awwer grood von Zepp redde: die Hunnsteier soll jo uf drei Gulde gesetzt wern?

KNIPPELIUS. Außer bei de Metzjerschhund un Hund, wo Leit brauche.

DUMMBACH. Ich finn's net ohgemässe. Mer sehkt freilich, es gehbt zu viel Hund: wos gibt's owwer erscht e Meng Dieb un sunst schlecht Zeik –; warum lehkt mer uf d i e kah Steier? Ferner: warum muß so e Luxusgaul kah Steier bezahle, un so e ohrm Hundelche, wo villeicht eme ohrme Deiwel sei ahnzig Läwensglick is, un wo er sich die finf-en-verzig Kreizer un des Esse davor am Maul obzwackt?

KNIPPELIUS. Es is owwer wäje der Dollheit. Ich hob selbst emol –

Blamahsche = Blamage. So hießen in der Studentensprache Familienomnibusse, die öffentlich um Mitfahrer warben. Ein Fahrzeug, in dem man sich wegen der hergelaufenen Passagiere schämte; Knäller = schlechter Tabak; Chaussehaus = ursprünglich ein Herrschaftshaus in Bessungen, an der Chaussee nach Heidelberg; um die Mitte des 19. Jahrhunderts Rasthaus. (Im Chausseehaus fand die erste nachweisbare Aufführung des „Datterich" statt, 1862); die Herzer = damals sehr beliebtes Quartett, das unter Leitung des Komponisten Herz Hachenburger häufig im Chausseehaus spielte; Dampwäje = Dampfwagen; Zepp = Zöpfe; Zopp im Werthshaus = „Kater" nach Alkoholgenuß; Dollheit. Ich hob selbst emol = Anspielung auf die Geschehnisse im „Tollen Hund", dem ersten Stück Niebergalls

DUMMBACH. Katze wern aach doll un vafihrn aach sunst Nachts uf de Dächer en Schbekdakel, daß Kahns schlofe kann, un mit Geil sinn schon mehr Leit iwwerfohrn un iwwerritte un umgeworfe worn, als Leit von dolle Hund sei Lebdaag gebisse wern.

FRAU DUMMBACH (zu Knippelius). Wisse-Se's dann schunt?

KNIPPELIUS. Wos dann?

FRAU DUMMBACH. Es is e Brandbrief bei uns gelehkt worn.

DUMMBACH (ärgerlich). Wann die nor emol schweie kennt!

KNIPPELIUS. Kah Wort! Des wärd äwe ganz ihblich.

FRAU DUMMBACH. Mer hawwe awwer glei die Bolezei davoh diwerdirt.

KNIPPELIUS. Do kenne-Se ruhig schloofe, die krijje'n. Heit howwe-se erscht widder Ahn in Numero Sicher gebracht.

ALLE. Wen dann?

KNIPPELIUS. Ich hatt e Geschäft uf der Bolezei. Wie ich-der eneikumm, sitzt-der mei Herr Datterich uf der Britsch un zoppt an seine Vaddamerder: – un e Physionomie hot er Ihne dazu gemocht, die wor-der Ihne so dorschtig!

DUMMBACH. Sollt Der dann am Enn –

KNIPPELIUS. De Brief gelehkt hawwe? Gott bewahr! do dazu is er zu gescheit. Wohrscheinlich werd-er e Schlehjerei gehatt hawwe, dann wann er knill is, do krakeelt er mit Reddensarte un die Annern krakeele mit ihre Feist. Wann's uf mich ohkehmt, deht er alle Daag sei Riß fasse.

MARIE. Gehn-Se, Herr Knippelius, wer werd dann so rachsichdig sei?

KNIPPELIUS. Ich hob's Ursach. In alle Werthsheiser hor er mich emol eigelappt, ich deht nix wie olte Kih schlachte. Un warum? Weil ich-em emol in aller Giht e Ohrfei ohgebotte hatt, wann er sei ungewesche Maul noch Ahmol gäje mich ufdeht. War der Schmidt heit noch net do?

FRAU DUMMBACH. Er kimmt net mehr.

DUMMBACH. Es wunnert mich, daß er net mit seim Freind uf dem Bihro sitzt. Recht schadd for den Mensche.

MARIE. Ach, er hat-en ja abgeschafft un will jetz hechstens Sonndaags emol in's Werthshaus geh.

KNIPPELIUS. Des wehr aach iwwerdriwwe. Eme Mann gehehrt sei Schoppe, wann er'n bezohle kann.

FRAU DUMMBACH. Awwer wann er'sch net kann, do soll er sich liewer des Maul uf en Stah stumpe. (Zu Marie.) Woher host-de dann Des erfohrn, wos-de do äwe sehkst?

MARIE (verlegen). Ei der Kall is mer begäjent, wie ich heit Morjend emol eniwwer –

DUMMBACH (entrüstet). Un do bist D u im Stand un stellst dich mitte uf der Gaß zu em?

KNIPPELIUS (einfallend). Mir is er aach ufgestoße mit eme ganze Pack Zeidunge, die wollt er Ihne nechstens bringe.

DUMMBACH. Wos worn's dann for?

---

diwerdirt = divertiert, fälschlich gebraucht für avertiert: benachrichtigt; Enn = Ende; knill = Studentensprache knüll, betrunken; krakeelt = lärmt, streitet; eigelappt = hineingelegt; stumpe = stoßen

Deß Herze-Quadettche.

Sehr respectawele Persehnlichkeite aus Dammstadts Vagangeheit.

KNIPPELIUS. Ich hob blos im Blick die Dorfzeidung gesähe; un dann noch e vollstennig Sammlung von dem Frankforter Schornal seit 1780 odder 90, ich wahß net genau.
DUMMBACH. Do sträw'-ich jo schon so lang danooch. Un m i r wollt-er se bringe?
KNIPPELIUS. Es krehkt-se Niemand Annerscht; er wohlt-se nor erscht zum Buchbinner draage.
DUMMBACH. No, ich säh, der Mensch is doch noch net ganz valohrn. Freit mich.
KNIPPELIUS. Gott bewohr! Des hot aach noch Niemand gesogt. E jeder Mensch hot emol sein Rappel. Ich hob aach e Nachricht for-en.
MARIE. Ach wos dann?
KNIPPELIUS. Werd nix vazehlt, bis er do is. Ich schätz', er soll bald komme.
FRAU DUMMBACH. Ich glahb, do wern mer net lang zu worte brauche: es kimmt Ahns der Drepp eruf, des is er, ich kenn'-en an seim sanftmihdige Gang.
MARIE (schmeichelnd). Ach Vaddache, sein-Se doch gut gäjen-en!
DUMMBACH (gütig). Schwei.

Sechstes Bild – Zehnte Szene

Die Vorigen. Schmidt in großer Verlegenheit.

SCHMIDT. Ich hab' die Ehr – ich bin lang net da gewäse – awwer –
DUMMBACH. Awwer: – du hast anner Gesellschaft gehatt. Ich muß gesteh, es hot mich geschmerzt; es kennt mich net ärjer schmerze, wann der Rhei(n) ufgehehrt hett, der vaddalendische Strom zu sei, wo ich doch sonst als soog: sie sollen-en net hawwe, un eftersch de Wunsch geeißert hob, daß-en die Franzose liewer wie Hofmennische Droppe uf Zucker einemme sollte, als uf sonst e Weis.
MARIE (hängt sich an ihn). Ach Vadda, Sie hawwe mer ja vasproche, Sie wollte orndlich sei.
SCHMIDT. Herr Dummbach – ich hob dumm Zeik gemacht – sähe-Se, ich war bei Ihne in der Lehr –
DUMMBACH (wohlgefällig). Es freit mich, daß-de dich noch erinnerscht.
FRAU DUMMBACH. Es hot seither allerlah Neiigkeite bei uns gäwwe. (Beschreibend.) Ich hatt en Schrecke, ach, Schmidt, ich sag-der! –
DUMMBACH. Sie kann net schweie!
KNIPPELIUS. Herr Unkel, vagesse-Se des Vorgefallene: ich geb' Ihne mei Cerevis druf, daß er blos aus Lieb zu dem beese Mädche do sich e Bisje vakaspert hat, weil er der Mahnung wor, der Datterich kennt-em zum Mahster vahelfe. Er braucht awwer kahn Datterich dazu, sonnern bleeslich des Geld for-en Feierahmer.

Dorfzeidung = Die weitverbreitete, beliebte „Dorfzeitung" erschien von 1818 bis 1852 in Hildburghausen (Thüringen); Rappel = verrückter Anfall; Hofmennische Droppe = Hofmannstropfen; Cerevis = Studentensprache: Bier, übertragen: Ehrenwort; vakaspert = verkaspert, zum Narren gemacht; Feierahmer = Feuereimer, den jeder Meister haben mußte

ALLE (außer Schmidt). Net meeglich!
SCHMIDT. Ich glaab, ich drahm. Is es werlich wohr?
KNIPPELIUS. Ich hob's schon heit Morjend aus guter Quell gewißt un wollt nor abworte, bis gewisse Sache beseitigt wehrn.

Sechstes Bild – Elfte Szene

Die Vorigen. Datterich.

DATTERICH (macht nach allen Seiten Verbeugungen). Sollt' mei Gäjewatt widder Vamuthe allenfalls unerwatt sei, so kann ich doch net zweifle, daß se hechst willkomme sei werd, indem ich so glicklich bin, eine Nachricht iwwerbringe zu kenne, die des Glick zweier mir sehr deierer Persone begrind't. (Sieht lächelnd Marie und Schmidt an, die vor Erstaunen starr und stumm sind.) Meiner Vawendung is es endlich gelunge –
KNIPPELIUS. Alleweil sag i c h: net meeglich!
DATTERICH (ergreift Schmidts Hand). In diesem liewenswerdige Familjezerkel bring' ich-der mei uneigenitzigste Glickwinsch, liewer Schmidt. (Mit Biederkeit.) Sei still, ich valang kahn Dank; was ich duh konnt', haw' ich gedah, un hab's gern gedah: du bist recebirt. Ich gradelir'. (Allgemeines Staunen.)
DATTERICH (wendet sich zu Dummbach). Ich muß nor winsche, sehr vaehrungswerdiger Herr Dummbach, daß sich die bolidische Wolke äwe so von Eiroba zerstreie ließe, als wie ich des beneidenswerthe Glick hatt, die Wolke des Grams von diesem liewende Paar zu vascheiche. Ich bitt' mer die Erlaubniß aus, Ihne von Zeit zu Zeit mei Ufwardung mache zu derfe, um mich von Ihne iwwer diejenige Adickel der Zeidung belehrn zu losse, die ich net begreife kann.
SCHMIDT (der Miene macht zu sprechen, wird von Knippelius und Marie daran gehindert).
DUMMBACH (hustet). Soll mer sehr – ich winscht –
DATTERICH (sehr höflich zu Knippelius). Ihre fernere Freindschaft wern-Se mer gleichfalls net enziehe, Herr Knippelius. Ich war vohrt an eme Ort, da haw-ich zu meim greeßte Vagnihge gehehrt, daß Ihne Ihr Flahsch des beßt in ganz Dammstadt is. Obwohl ich des schon friher gewißt hab, so hat mich's doch sehr erfreit, Ihne Ihr Lob aach von Annern zu hehrn.
KNIPPELIUS. Des howwe-Se gewiß uf der Bolezei gehehrt.
DATTERICH (ohne aus der Fassung zu kommen). Allerdings bin ich vohrt in Geschäfte dort gewäse, äwe wäje dene liewenswerdige charmante junge Brautleit hier, um die Sach zu beschleinige.
KNIPPELIUS. Ich mahn, ich hett Ihne in Gesellschaft von Bolezeidiener uf's Bihro geh sähe?

---

drahm = träume

DATTERICH. Meeglich. Ich hatt mit dem Ahne Ebbes zu spreche.

KNIPPELIUS. Um Vagäbung, wann ich mich net sehr err, do howwe-Se aach uf der Britsch gesässe?

DATTERICH (unerschüttert). Kann sei. Ich war von dem Eifer, meim Freind zu diene, un von eme Spaziergang – ich sag Ihne, e kestlich Wasser in dene drei Brunne! – dergestalt eschoffirt, daß ich mich e Bisje gesetzt hab, um mich auszuschnaufe. (Wendet sich wieder zu Schmidt.) Dir, liewer Schmidt, kann ich net Glick genug winsche. Heirathe, haaßt mer in die Lotterie gesetzt: Du host des groß Loos gewunne.

SCHMIDT (der die ganze Zeit über Zeichen von Ungeduld und Ärger von sich gab, entrüstet). Wie kumme m i r dann widder zu dem Du? Gehn-Se zu Ihne Ihrm dicke Bennelbächer und zu Ihne Ihrm derre Sperwes un duhze-Se-se, Sie schlechter denkender Mensch, un wann-Se kinftig nor s o g e, daß-Se mich jemals gekennt hette, do vaklag ich Ihne!

DATTERICH (verletzt). Is Des die Stimme der Freindschaft? Belohnt mer en redliche Freind so?

KNIPPELIUS. Mache-Se, daß-Se fort kumme, es geht schon gäje Awend, un wann e Dieb bei Ihne eibricht, so misse-Se sich vor-em scheeme.

DATTERICH (mit edlem Stolz). Es macht Ihne keine Ehr', Herr Knippelius, iwwer ein vom Schicksal Verfolgte zu spotte, äwe so wenig, als der Umstand, daß-Se Ihr Stimm mit der von eme ungedreie Freind vereinige.

DUMMBACH (besonnen). Ich muß leider aach e Wort eninschwätze; es is mei Schulligkeit. Soviel mir bekannt is, Herr Datterich, genieße-Se in der hiesige Stadt un de umliegende Ortschafte net des best Renommeh, sonnern erfreie sich eines iwwele Ruf's.

DATTERICH (legt die Hand aufs Herz). Ich bin besser als mei Ruf, des vasich'r ich Sie.

DUMMBACH (fortfahrend). Da ich nu viel uf en gute Nohme halt un aach kahn Wei odder sonstig Gedränk im Keller hob, so werd's Ihne wohl net schwer falle, mich mei Zeidunge aach kinftig vor mich läse zu losse. (Macht einen Diener.)

DATTERICH (macht gleichfalls einen Diener). Ganz nooch Ihne Ihrm Beliewe.

FRAU DUMMBACH. Sein-Se doch aach so gut un schicke-Se dem Schmidt sei Stiewel widder, wo-Se ohhawwe; ich kenn-se an dem Riester, wo am linke is.

SCHMIDT. Ich will s'em schenke.

DATTERICH. Ich pfleg solche Geschenke nicht zu accebdirn un wer-Se Ihne mit erschter Geläjenheit dorch mein Borsch zuricksende. Iwwrigens seh' ich, daß Undank der Welt Loh is; no, in meim amtliche Wirke is mer'sch jo net besser gange. Ich kann mich dreeste. Erlauwe-Se mer nor noch e poor Worte, dann will ich Ihne von meiner Gäjewatt befreie. (Zieht sich gegen die Türe zurück.) Sie, Herr Schmidt – Freind kann un mag ich Ihne net mer nenne – Sie, Herr Schmidt, Sie krijje von eme gewisse Jemand en anonyme Pandoffel zur Haussteier, um die Sanftmuth Ihrer zukinftige Frah Gemahlin zu Bezeichne.

SCHMIDT (tritt entrüstet auf ihn zu). Kerl, unnersteh' dich!

Haussteier = Aussteuer; Rekommandation = Empfehlung

DATTERICH. Sie scheine zu vagesse, daß unser Schmolles ufgehowwe is, mein Herr.
KNIPPELIUS (hält Schmidt zurück). Ruhig, loss'n, er hot Eselsfreiheit.
DATTERICH. Sehr vabunde, Herr Knippelius. Fohrn-Se nor gedroost fort, weibliches Rindvieh von ehrwerdigem Alter zu schlachte: an m e i n e r Rekommandation soll's Ihne, uf Ehr, net fehle.
KNIPPELIUS. Sie wern noch froh sei, wann-Se olt Kihflahsch zu kaue hette.
DATTERICH. Kennt' der Fall sei: alsdann wer ich so frei sei un mich an Ihne wenne. Sie, Herr Dummbach, läse-Se Ihrer Frah nor recht aus de Zeidunge vor, dann Sie wern sonst so leicht Niemand finne, wo so ahfellig is un hehrt Ihne zu. Wann Sie so fortfahrn, so erläwe mer noch die Frahd, Ihne zum Mitglied der gelehrte Gesellschaft zu Hofheim ernennt zu sähe; ich gradelir' zum Voraus.
DUMMBACH. E unbescheidener Mensch!
FRAU DUMMBACH. Er soll sich sein Rock flicke, ich will-em e Klingel Zwern dazu gäwwe.
DATTERICH (verneigt sich). Ich wer'sch mit Dank ohnemme. Wos S i e nu betrifft, Freilein Dummbach, so nemm' ich mer die Freiheit –
SCHMIDT (springt hervor). Ja, duhst-de des Maul uf!
DATTERICH (fortfahrend). So nemm' ich mer die Freiheit –
SCHMIDT. Nemme-Se mer'sch net iwwel, Herr Dummbach – (faßt Datterich).
DUMMBACH (ruhig). Ganz un gor net.
(Datterich wird von Schmidt zur Tür hinausgeworfen.)
KNIPPELIUS. Der is awwer enausgefloge, wie e Schatte.

Sechstes Bild – Zwölfte Szene

Die Vorigen, ohne Datterich.

DUMMBACH. Ich dank Gott, daß mer den Mensche los sinn. Liewer Schmidt, du host so äwe de Beweis abgelehkt, daß der'sch mit deiner Besserung Ernst is: ich hob-der vagäwwe. In verzeh Daak mache mer Hochzeit, un wann's aach net so druf hergeht, wie wann e Brinzeß heirooth, so wolle mer uns doch frahe, wie die Ferschte. Seid glicklich minanner! (Die Personen gruppieren sich; das Brautpaar in der Mitte, die Älteren zu dessen Seite.)
KNIPPELIUS. Schadd, daß A h n s beim Hochzeitsschmaus fehle muß.
DUMMBACH. Ich wißt net, Wer?
KNIPPELIUS. Der Datterich!

Der Vorhang fällt. – Ende.

---

wenne = wenden; Hofheim = Gemeinde westlich von Darmstadt. In Anspielungen auf die Landesirrenanstalt muß es sich mit Crumstadt teilen; Klingel Zwern = Rolle Zwirn

Unentbehrlicher Anhang

zum besseren Verständnis,
nach den zuverlässigsten Forschungsquellen
zubereitet von Georg Hensel

Darum immer froh und munter
Bis der Lebensfaden reißt
Und uns auf den Grabeshügel
Einst der Hund 'en Haufen scheißt.

Niebergall, seinem Freund Ernst Vogler
ins Stammbuch

Darmstädter Biedermeier

Darmstadt's Bewohner sind Freunde eines heiteren und geselligen Lebens; griesgramige Leute nennen es vielleicht vergnügungssichtig, allein dieß wäre zuviel gesagt. Wir kennen Städte, sie liegen nicht sehr weit von unserer Residenz entfernt, wo die hochwerthe Leihhaus-Commission zur Zeit der Bälle und des Carnevals sich kaum vor Arbeit zu helfen weiß, weil manche Familie fast ihr sämmtliches Meuble hinträgt, um baares Geld für Ball- und Maskenbillete zu erhalten. So weit ist es in unserm lieben Darmstadt bei Weitem noch nicht gediehen: unser Leihhaus scheint im Gegentheil immer noch nicht so grün dazustehen, wie manches unserer Nachbarschaft; denn bis zur Stunde konnte die von der Staatsregierung schon unter dem 18. Juli 1807 für günstigere Zeitverhältnisse zugesagte Zinsherabsetzung von 7 1/2 pCt. (die verschiedenen Gebühren ungerechnet) nicht stattfinden; – also Darmstadt's Bewohner sind solide, doch lebensfrohe Leute. Und wie sollte es sich fehlen; ein jeder findet hier das für ihn Angemessene, wenn er es nur zu suchen und aufzufinden versteht.
Freunde der Wissenschaft werden von 5 Buchhändlern hinlänglich mit der neuesten Literatur versorgt, und 4 Leihbibliotheken stehen ebenfalls zu Dienste. Freunde der Musik finden hier zumeist Gelegenheit, ihre Wünsche befriedigt zu sehen. Das ganze Jahr hindurch ist es hier leicht möglich, die schönsten Musikstücke vortragen zu hören; im Winter im Theater, auf Bällen und bei Gelegenheit der jeden Sonntag stattfindenden Restaurationen. Ferner gewähren der obengenannte Kunstverein und der gleichfalls schon erwähnte Dilletanten-Verein durch ihre gediegenen Aufführungen einen hohen Genuß. Die s. g. Liedertafel strebt weniger danach, bedeutende Kunstwerke aufzuführen, als vielmehr die gesellige Haltung zu fördern. Während der Sommermonate, der Exercierzeit, spielt die vortreffliche Militärmusik täglich Morgens bei ihrem Abmarsch und ihrer Zurückkunft, sowie auch während der Rastzeit der Exercierenden auf dem Exercierplatze selbst. Donnerstags Abends von 6–9 spielt, wie schon oben erwähnt, die Chevauxlegers-Musik auf dem vor ihrer Kaserne liegenden Platze.
Der Walzerkomponist Herz H. H. gibt seit diesem Jahre während der Sommermonate mehrere große musikalische Abendunterhaltungen mit einem Orchester von 30 Personen, welche von nah und fern außerordentlich stark besucht werden. An mehreren Tagen der Woche spielt derselbe mit den besten Mitgliedern seines Orchesters an den von der Elite der Stadt zumeist besuchten Orten die vorzüglichsten Quartette.

(2)
1.
2

Die Straßen der Stadt sind meist mit gehauenen Steinen gepflastert, und die der Neustadt fast alle mit Trottoirs auf beiden Seiten versehen. Innerhalb der Stadt darf auf den Straßen nicht geraucht werden, eine für Einheimische und Fremde wissenswerthe Notiz, denn schon Viele büßten die Unkenntnis dieser polizeilichen Bestimmung mit der dafür angedrohten Strafe von 24 kr. Die nächtliche Beleuchtung der Residenz ist sehr gut, – man richtet sich gewissenhaft nach der Angabe des Calendermachers.
Es ist noch kein halbes Jahrhundert, daß jeder Fremde in Darmstadt 4 Hauptmerkwürdigkeiten, vulgo die 4 Hauptwunder Darmstadts zu sehen sich bemühte: einen Tambour mit hölzerner Hand, einen Briefträger, der nicht lesen konnte, einen Marktbrunnen ohne Wasser und ein Schloß, dessen Fenster mit Brettern vernagelt. Alles dieß ist jetzt verschwunden . . .
(Aus „Darmstadt und seine Umgebung, ein Führer für Einheimische und Fremde", Darmstadt, 1836. Der „Führer" erschien anonym, sein Verfasser Dr. Ferdinand Linz wurde verspottet durch „Das Laternenmännchen, oder der blinde Führer durch Darmstadt" von Joh. Daniel Anton, Darmstadt, 1836. In „Des Burschen Heimkehr" bietet der „Auslaufer" den „Führer" an: „Des Buch fihrt de Titel: der Fihrer dorch Dammstadt, un werd iwwerahl reißend gekaaft"; Knippelius erwidert: „Wann's noch haaße deht: der Ohfihrer dorch Dammstadt, do ließ ich mer'sch eher gefalle".

Abschied von Gottlieb Biedermaier

Als Biedermeier wird meist eine Epoche „zwischen Romantik und Realismus" angesetzt, mit Bezug auf die politischen Entwicklungen zwischen 1815 und 1848 bisweilen auch als „Vormärz" oder „Restauration" bezeichnet. Diese Zeit umfaßt mehrere sich widerstreitende ideengeschichtliche, literarische und Kunstströmungen (Spätromantik, die Nazarener, das Junge Deutschland, die spezifische Biedermeierdichtung und Biedermeiermalerei, die Junghegelianer); im ganzen ist sie durch eine gewisse Philosophiemüdigkeit charakterisiert und durch eine weltschmerzlerische Gesamtstimmung, die sich in der für die Zeit sprichwörtlichen „Tränenseligkeit" äußert, sich aber auch bis zu religiösem Schwärmertum und Lebensüberdruß steigern kann (in häufigen Selbstmorden dokumentiert) . . . Die Biedermeierdichtung gestaltet das sittliche Ziel der Zeit, die genügsame Selbstbescheidung, die Zähmung der Leidenschaften, die stille Unterordnung unter das Schicksal, die Haltung der Mitte und des Maßes, das kleine Glück, die Liebe zu den Dingen, zur Geschichte und Natur . . .
Das Wort Biedermeier entstammt der Kritik des Realismus an Haltung und Literatur der Restaurationszeit im deutschen Bereich, die Ludwig Eichrodt und Adolf Kußmaul in den „biederen" Reimereien eines schwäbischen Dilettanten, S. F. Sauter, repräsentiert sahen, die sie mit eigenen Parodien als „Gedichte des schwäbischen Schulmeisters Gottlieb Biedermaier . . ." 1855–57 in den „Fliegenden Blättern" veröffentlichten.
(Aus dem Artikel „Biedermeier" in „Meyers Enzyklopädischem Lexikon", Band 4, Mannheim, 1972)

Und so dichtete Ludwig Eichrodt:

Klagelied des Schulmeisters Jeremias Birkenstecken um den Freund Gottlieb Biedermaier

O Spektakel, welch ein Schrecken!
Das ist Trauersiegellack.
Jeremias Birkenstecken,
Bürste deinen schwarzen Frack!

Welche Botschaft! Biedermaier,
Dieser Edle, lebt nicht mehr!
Bindet Flor an meine Leier,
Denn der Vorgang schmerzt mich sehr.

Bindet Flor an Hut und Hauben,
Daß die Träne besser fließt,
Niemand wird die Nachricht glauben,
Wenn er's nicht im Blättle liest.

Gott! hätt' ich das können ahnen,
Daß der große Mann verschied,
Als wir eben in dem Schwanen
Sangen sein Kartoffellied!

O muß Alles denn von hinnen,
Was da schön und edel ist,
Dieses bringt mich schier von Sinnen,
Solch ein Dichter, Mensch und Christ!

Darf der Bürger denn nicht klagen,
Wo selbst die Regierung klagt,
Die ihm erst vor wenig Tagen
Die Medaille angesagt!?

Klaget, klaget, lieben Leute,
Denn das Klagen ist erlaubt,
Wenn der Tod als seine Beute
Einen Biedermaier raubt.

Tugend und Laster

Unser Blick und Miene müssen Freude und frohe Stimmung um sich her verbreiten und Zeugen von innerer Ruhe und Ordnung seyn. Auch in den Blicken und Mienen der Leidenden kann und soll Heiterkeit liegen. Sokrates litt viel, und dennoch lächelte sein Auge, dennoch strahlte Freundlichkeit aus seiner Miene. So eingerichtete Blicke verschaffen uns auch eine angenehme gefällige Miene, eine Miene, die an's Lächeln gränzt, aus der ein lieblicher Ernst und wahre innere Würde, Wohlwollen und Humanität hervorleuchten. Mit einer solchen Miene begabt, entwaffnen wir den Versucher unserer Tugend, entfernen den Schmeichler von uns, verbannen den Lasterhaften aus unserer Gesellschaft, strafen die Thorheit und züchtigen die Dummdreistigkeit. Selbst der Böse verweilt bey einem solchen Gesichte, bei einer solchen Miene und schenkt ihr seine Bewunderung. Doch wie läßt sich diese Miene erlangen? Welche sind die Mittel, die uns dieselbe geben? Ich antworte: Veredelung des Herzens, und Nachahmung solcher Personen, die diese Miene haben.
Lasterhaftigkeit, Liederlichkeit, Leidenschaften, insbesondere Wollust, Neid und Zorn, machen gelb und fahl, rauben dem Auge Glanz und Kraft, vertilgen die Blüthe der Gesundheit und Jugend von Lippen und Wangen, nehmen dem Körper Gewandtheit, Raschheit und Lust zur Thätigkeit, schwächen die Lebenskräfte, und bewirken ein frühes Alter. Wer erkennt nicht an dem zitternden, schleichenden Gange, an der dürren Hand, an dem beständigen Mißmuthe, an der schwachen, heisern Stimme, an dem matten Blicke, den Wollüstling! Wer siehet in der verzerrten Lippe, in der blassen Gesichtsfarbe nicht den Neid! Welche gräßliche Züge hinterlässt der Zorn, wie verwirrt er die ganze Ordnung des Gesichts! Wie krampfhaft werden Lippe, Stirn und Auge!
(Aus Prof. G. J. Wenzel's „Mann von Welt oder dessen Grundsätze und Regeln des Anstandes, der Grazie, der feinen Lebensart und der wahren Höflichkeit für die verschiedenen Verhältnisse der Gesellschaft". Siebente durchaus verbesserte Auflage. Pesth, 1821.)

Aus dem Leben des Ernst Elias Niebergall

1795
Johann Georg Niebergall, geboren am 9. Mai 1774 in Mosbach bei Eisenach, Thüringen, zieht nach Darmstadt. Er wird hier Stabshoboist, Mitglied der landgräflichen Hofkapelle und Kammermusikus; er spielt Hoboe, Klarinette, Violine und Fagott.

1802
13. Januar: Johann Georg Niebergall heiratet Maria Katharina Kraft (geboren am 9. Februar 1778 in Darmstadt). Von ihr – nicht vom thüringischen Vater – dürfte Niebergall den darmstädtischen Dialekt gelernt haben.

1813
Johann Georg Niebergall baut ein Haus in der Baustraße. – 17. Oktober: Georg Büchner in Goddelau geboren.

Nahmen	Bemerkungen	Wohnung
Niebergall, Georg, Hofmusikus, von Eisenach, im Jahr 1810 angebl. 36 Jahre alt, luth. Religion	Ist im Jahr 1812 Kammermusikus geworden. Starb d. 4. Mai 1826	~~88. E.~~ ~~J. 51~~
Marie Katharine dessen Frau, gebl. Krafft, von Darmstadt, im Jahr 1810 angebl. 32 Jahre alt, luth. Rel.	Starb d. 29. September 1824.	
Georg Wilhelm deren Sohn, von Darmstadt, im Jahr 1810 angebl. 8 Jahre alt, luth. Rel.	Hofmusikus seit 1823. u. dessen eigener Bogen.	
Carl Wilhelm Ernst deren Sohn, von Darmstadt, im Jahr 1810 angebl. 6 Jahre alt, luth. Rel.	Als Reisender einer Handlung im Jahr 1821 abwesend. 1854 von seinem Bruder Wilhelm nicht bekannt, wo er, laut Wilh. Ernst, sich befinde, er wird vermuthet, er sey todt.	~~D. 35~~
Dorothee Sophie deren Tochter, von Darmstadt, im Jahr 1810 angebl. 4 Jahre alt, luth. Rel.	Starb d. 19. Januar 1812.	

Nahmen	Bemerkungen	Wohnung
Georg August Friedrich dessen Sohn, von Darmstadt, im Jahr 1818 angebl. 2 Jahre alt, luth. Rel.	[illegible] 1832 und dessen [illegible]	~~F. 161.~~
Emil dessen Sohn, von Stadt, im Jahr 1820 angebl. ½ Jahr alt, luth. Rel.	Starb d. 11. Oktober 1829.	
Dorothee Friederike deren Tochter, von Stadt, geb. d. 26. November 1822, l. R. 1854 hat deren Bruder Wilhelm angegeben, daß sie vor 16 Jahren in Erstingen gestorben sey.	Johannette Elise deren unehel. T. aus Stadt; geboren den 31. Okt. 1837; ev. R. 1854 bei ihrem Onkel Wilhelm Riebergall in Erstingen.	
Ernst Elias dessen Sohn, von Darmstadt, geb. im Januar 1825, l. Rel.	verheirathet. 38 Cand. theol. Starb am 19. April 1843.	~~F. 51.~~ ~~E. 163.~~ ~~F. 195.~~ ~~J. 251~~

1815
13. Januar, zwei Uhr früh: Ernst Elias Niebergall wird in Darmstadt als jüngstes von sieben Kindern geboren, in der Baustraße (heute Elisabethenstraße 30). Er wird am 4. Februar getauft. Seine Geschwister heißen Wilhelm, Carl, Dorothea, Georg, Emil, Friedericke.

1824
29. September: Tod der Mutter.

1826
4. Mai: Tod des Vaters. Ernst Elias Niebergall, elf Jahre alt, erhält den Maschinenfabrikanten Johann Jordan als Vormund. Der Grossherzog unterstützt ab 1. Juli die vier unmündigen Niebergall-Kinder.

1827
11. April: Übertritt Niebergalls aus der Privatschule des Kandidaten Rautenbusch in das Gymnasium, das „Piu" (Pädagog in der heutigen Pädagogstraße). Direktor ist seit 1826 Karl Dilthey (1797–1857). Georg Büchner besucht dieses Gymnasium vom 26. März 1825 bis 30. März 1831; es gibt keine Hinweise, dass Niebergall und Büchner Umgang miteinander hatten.

1830
31. Mai: Konfirmation in der Stadtkirche.

1832
3. Oktober: Abgangszeugnis durch Dilthey. – 12. Dezember: Immatrikulation an der hessischen Landesuniversität Gießen; Studium der Theologie. Im Wintersemester 1832/33 Eintritt in die Burschenschaft Germania, der auch Georg Büchner angehört.

1833
Nach Auflösung der Germania Eintritt in das aus ehemaligen Burschenschaftern bestehende Corps Palatia (seine Farben grün-rot-gold spielen auf das Schwarz-Rot-Gold der verbotenen Burschenschaft an). – 1. September: Niebergall wird vom Disziplinargericht der Universität wegen eines Duells mit vier Wochen Karzer bestraft. – 31. Oktober: Georg Büchner schreibt sich an der Gießener Universität als Student der Medizin ein.

1834
21. Februar: Auflösung der „Palatia". – Büchner gründet im März die Gießener „Gesellschaft der Menschenrechte" und schreibt den „Hessischen Landboten", den Rektor Weidig redigiert. – Niebergall wird in eine Untersuchung wegen politischer Aktivitäten und Übertretung des Verbots der Studentenverbindungen verwickelt. (Während der Untersuchung durfte er sich nicht zur – 1835 möglichen – Prüfung melden. Freispruch am 9. Dezember 1836).

1835
9. März: Georg Büchner flieht von Darmstadt nach Straßburg. – 7. September: Niebergall zeichnet ein Stammbuchblatt, auf dem ein Eselsreiter ein Blatt mit der Mar-

seillaise in der Hand hält; der Esel trägt verbotene Flug- und Zeitschriften, darunter auch Rektor Weidigs „Leuchter". Auf einem anderen Stammbuchblatt, das Niebergall seinem Freund Hermann Becker (1815–1831) widmet, steht als „Symbolum": „Fidel bis zum Bettelsack". – Im Herbst verlässt Niebergall die Universität und geht nach Dieburg, wo er Hauslehrer bei dem Forstmeister Wilhelm Christoph Reitz wird. Darüber berichtet der Buchhändler und „Datterich"-Verleger Karl Scriba (1823–1883): „Er hatte mit den Kindern des Forstmeisters Reitz noch die einiger andern dortiger Familien zu unterrichten und tat dieses mit grossem Eifer und Erfolg, wenn er auch in seiner übrigen Lebensweise sich noch nicht völlig von den studentischen Gewohnheiten losmachen konnte. Er machte mit seinen Schülern häufig Ausflüge, war ein Naturfreund und besonders ein eifriger Käfersammler".

1836
Unter seinem Gießener Kneipnamen E(lias) Streff veröffentlicht Niebergall vom 17. Mai bis 16. Juni in der „Didaskalia", der Unterhaltungsbeilage des „Frankfurter Journals", seine erste Erzählung „Reue versöhnt. Dem Leben nacherzählt". Unterm gleichen Namen und am gleichen Ort erscheinen: vom 26. bis 28. Juni „Der vermauerte Turm. Vaterländische Volkssage", vom 12. bis 15. Juli „Die Mondscheinnacht in den Ruinen", eine Erzählung, mit der sich Niebergall von der zeitüblichen „Empfindelei" zu befreien versucht, und vom 1. bis 10. Oktober „Der Totenmarkt", eine „vaterländische Volkssage", mit der Niebergall in die „Empfindelei" zurückfällt. – 9. Dezember: Freispruch durch das Hofgericht der Provinz Oberhessen.

1837
19. Februar: Georg Büchner stirbt in Zürich. – 23. Februar: der Pfarrer und Revolutionär Weidig tötet sich im Darmstädter Gefängnis in der Rundeturmstraße. Niebergall vollendet im Frühjahr das schon in Gießen entstandene Lustspiel „Des Burschen Heimkehr oder Der tolle Hund". Die erste Ausgabe erscheint in Worms, gedruckt „bei Johann Andreas Kranzbühler". Als Autor zeichnet „E. Streff". Die Titelseite trägt das Motto: „Nix vor ungut!" Aufführungen zwischen dem 6. September und dem 22. September durch das Sommertheater einer wandernden Schauspielertruppe, die in einem Saal (von L. Doll) vor dem Darmstädter Rheintor ihre Vorstellungen gab. Das Darmstädter Frag- und Anzeigeblatt vermeldet, dass es „mit ausserordentlichem Beifall" aufgenommen wurde. – Niebergall schreibt Erzählungen, die in den folgenden Jahren erscheinen. – Am 15. April wird die gegen ihn verhängte Disziplinaruntersuchung niedergeschlagen: er darf nun seine theologische Prüfung ablegen.

1838
In der „Didaskalia" erscheinen unter dem Pseudonym E. Streff vom 28. Juni bis 4. Juli „Die Novelle. Etwas aus dem Leben", abermals ein Versuch, von den modischen „blassen interessanten Schwermutsfiguren" (Niebergall) abzurücken; vom 8. bis 12. Juli „Der Herrgottsberg. Eine Sage", abermals ein Rückfall ins Modische; vom 19. August bis 3. September „Der Mann aus dem Marais. Erzählung aus den ersten Zeiten des Vendeerkrieges", sie spielt während der Französischen Revolution und beginnt mit: „Frankreich hatte die heiligen Bande des Königtums gebrochen, um sich in die drückenden Fesseln seiner Stellvertreter schmieden zu lassen. Aber Ludwigs XVI. schuldloses Haupt, dem zügellosen Pöbel hingeworfen, konnte den

4.)
C.N.

		f	kr
	Transport	27.	42
12.	1 paar Stiefel	1.	30.
13.	1 paar ditto	1.	45.
14.	1 Zigarren-Etui	—	12.
15.	1 ditto	—	12.
16.	4 Hemden	2.	—
17.	7 paar Strümpfe	—	30.
18.	1 Streichriemen	—	6.
19.	2 Handtücher	—	36.
20.	1 Taschentuch	—	08.
21.	1 Zergzeuder	—	48.
22.	1 Laterne	—	12.
23.	1 Leuchter von Messing	—	15.
24.	1 Porcellain-Teller	—	6.
25	1 Magnet	—	12.
26	2 Tabaksbeutel	—	6.
27.	1 Kleiderbürste	—	8.
28.	1 Rasier-Messer	—	8.
29.	1 Käfig	—	15.
30.	1 Einmachglas	—	06.
31.	1 paar Pantoffel	—	24.
32.	1 Nachttopf	—	12.
		37	33

O. N:

		fl.	kr.
	Transport	37.	33.
33.	2 Spiegelbilder u. 1 Figur	00	6
34.	24 Hefte von Becker's Weltgeschichte	5.	—
35.	Spanische Novellen (Don Quixote von La Mancha, 6 Bände, 8. broschirt	1.	—
36.	17. verschiedene Bücher	—	30.
37.	1 Atlas	—	12.
		fl. 44	21.

Auf Befragen erklärten die beiden Gebrüder Mittergall, daß die in dem Obsignations-Protocoll sub. N: 1 bis 9. verzeichneten Effecten, nebst der Cylinder-Uhr von Silber Eigenthum des Handelsmannes L. H. Zwiener seien u. ohne Anstand an denselben verabfolgt werden könnten, da jedoch L. Zwiener der ergangenen Vorladung ungeachtet, sich nicht im Termine eingefunden hatte, so konnte die Ausliefrung heute nicht erfolgen. Es wurden hierauf wieder die Siegel, welche man bei der Resignation unverletzt befunden hatte, angelegt und das Zimmer verschlossen u. die Schlüssel zu sich genommen.

Beglaubigt

J. Mittergall.
W: Mittergall

[illegible]

19

aufsteigenden Sturm nicht beschwören . . ." – ein royalistischer Vater überlässt aus Pflichtgefühl seinen republikanischen Sohn dem Tod; vom 23. Dezember bis 22. Januar 1839 „Die Falschmünzer. Novelle aus der Zeit des dreißigjährigen Krieges".

1839
In der „Didaskalia" erscheint unter dem Pseudonym E. Streff „Der Wunderdoktor" vom 15. bis 26. März. – Vom 2. bis 4. September legt Niebergall in Gießen die schriftliche, am 10. und 11. September die mündliche Prüfung ab. Er ist nun berechtigt, an den Arbeiten des evangelischen Predigerseminars in Friedberg teilzunehmen. Er besteht mit Note 3; nur siebzehn von den zweihundert Kandidaten vor ihm hatten eine bessere Note.

1840
Im Januar zieht Niebergall nach Darmstadt und wird Lehrer an der „Schmitzschen Schule", der bedeutendsten Darmstädter Privatschule für Knaben; er unterrichtet vor allem Lateinisch, Griechisch und Geschichte. – In der „Didaskalia" erscheint unter der Abkürzung E. St. vom 12. März bis 26. April „Liebe und Pflicht. Romantische Erzählung aus dem Siebzehnten Jahrhundert". Arbeit am „Datterich": Dummbach erwähnt Ereignisse, die zwischen November 1840 und März 1841 in der Zeitung zu lesen waren.

1841
In der „Didaskalia" erscheint unter der Abkürzung E. St. vom 8. bis 18. April Niebergalls letzte Erzählung „Das Griesheimer Haus". Im April erscheint im Darmstädter Verlag L. Pabst „Datterich. Localposse, in der Mundart der Darmstädter. In sechs Bildern." ohne Angabe des Verfassers. Niebergall hatte den Spitznamen „Datterich" von dem am 6. Juli 1839 wegen Trunkenheit entlassenen Darmstädter Kanzleigehilfen Friedrich Hauser übernommen, der Niebergall die Knochen entzweischlagen wollte. Nach dem „Datterich" hat Niebergall nichts mehr geschrieben: er war offenbar krank und litt unter „Hypochondrie" – von „Fidel bis zum Bettelsack" kann nicht mehr die Rede sein.

1843
19. April, nachmittags ein Uhr, stirbt Niebergall, vermutlich an Lungenentzündung in seiner Wohnung Steinstraße 26 (heute Wilhelm-Glässing-Straße 26). Am 20. April, achtzehn Uhr, Beerdigung auf dem Friedhof in der Nieder-Ramstädter-Strasse, in Gegenwart der Totengräber Johannes Fuchs und Peter Scheller. 1873 wird das Grab zum zweitenmal belegt: über Niebergalls Gebeinen wird am 20. Juli der pensionierte Arresthausverwalter Jakob Friedmann bestattet. Im Nachruf des „Gutenberg" (2. Jahrgang, 1843) wird Niebergall geschildert: „zierlich und schmächtig gebaut, das bleiche Gesicht sprach herzliche, ungekünstelte Gutmütigkeit und doch wieder eine unverkennbare Festigkeit des Willens und der Gesinnung aus"; der Nachruf meint, dass sich „Datterich", dessen Witz und Beliebtheit er rühmt, doch „zur Aufführung schwerlich eignen dürfte". („Datterich" wurde zum erstenmal aufgeführt neunzehn Jahre nach Niebergalls Tod, am 2. August 1862 im „Sommertheater in Darmstadt", in „Rost's Etablissement auf dem Chausseehause" in Bessungen.) Was der „elternlose und ledige Cand. der Theologie" in seiner Wohnung bei Zimmermann Amendt hin-

mit 27. April 43. [illegible]

26/4 4 1424

Zu Nr. H. G. 7283 : 7185.

Darmstadt am 25. April 1843.

[illegible] mit allen III. [illegible]

Des Großherzoglich Hessischen Hofgerichts der Provinz Starkenburg Extrajudicial-Senat

an

E. J. S.

Das Ableben des Candidaten der Theologie, Ernst Elias Niebergall zu Darmstadt und die Vertheilung dessen Nachlasses betreffend

I, Unter Anschluß sämmtlicher bis jetzt entstandener Acten, ertheilen wir Ihnen den Auftrag, den Nachlaß des Rubricaten ordnungsmäßig zu inventarisiren und auf den Grund dieses Inventars die Erbvertheilung vorzubereiten, vor dem wirklichen Vollzug der Vertheilung aber, sämmtliche Acten, behufs der Revision, an uns einzusenden. Ueber die Erledigung dieses Auftrags oder die demselben etwa im Wege stehenden Hindernisse, erwarten wir binnen 3 Monaten Bericht.

P. Für den Fall, daß der Nachlaß nicht von den zu bezahlenden Schulden absorbirt werden sollte, ist der gesetzliche [illegible] zu wahren [illegible] zu verwenden. – Vorhero haben Sie die vom Handelsmann Zimer reclamirten Effecten an denselben zu verabfolgen, falls dessen Angabe, daß sie sein Eigenthum seien, von den Erben bestätigt werden sollte.

Taxa

Anschluß [illegible] nebst sämmtlichen Acten.

II, In der Commissions- und Erbvertheilungs Tabelle ist zu notiren, daß dem Großh. Hofg. Secretär Schenk unterm heutigen der Auftrag ertheilt worden ist, den Nachlaß des am 19ten April 1843 verstorbenen Candidaten der Theologie, Ernst Elias Niebergall zu inventarisiren und zu vertheilen.

III, Reproduc. nach 3 Monaten.

3

Nr	Taxatum fl	kr		Licitation fl	kr
13	—	12	Ein Zigarren Etui	1.	
			Accessist Rabergall		
14	—	12	Eins ditto		2
			Hofbaumeister Ruffert modo Frau Rentier Schramm		
15	2	—	Vier Hemden	3.	
			Schuhmacher Mager		
16	—	30	Sieben Paar Strümpfe — od.		3
17	—	6	Ein Nachtmütze — od.		1
18	—	36	Zwei Handtücher — od.		2
19	—	8	Ein Taschentuch — od.		8
			Blum		
20	—	48	Ein Regenmantel	1.	2
			Abraham Hochenberger		
21	—	12	Ein Laterne — od.		14
22	—	13	Ein Leuchter von Messing — od.		0
23	—	6	Ein Rauchtabackteller — od.		0
24	—	12	Ein Magnet (ist Eigenthum des G. Zeller) und hat dieser solchen zurückbehalten.		
25	—	6	Zwei Tabacksbeutel — od.		0
			Seite	8	

Nr	Taxatum fl.	Taxatum kr.		Licitatum fl.	Licitatum kr.
6	—	8	Eine Kleiderbürste — dt.	—	14
7	—	8	Ein Rasiermesser — dt.	—	24
8	—	15	Ein Küchlein —	—	22
			A. Gegenbauer		
9	—	6	Ein Einmachglas —	—	8
			Hofzahlmeister Schaff		
10	—	24	Ein Paar Pantoffel — dt.	1	16
			J. Vandeur		
1	—	12	Ein Nachttopf — dt.	—	06
2	—	6	Zwei Gipsbilder u. 1 Figur	—	06
			Louise Paffart		
3	5	—	27 Hefte von Leinwand ertlich, geschrieben — dt.	8	30
			Rentamtmann Roberts		
4	1	—	Spanische Novellen (Don Quixote von La Mancha, 6 Bände, 8 broschirt — dt.	1	16
5	—	30	17 verschiedene Bücher		[illegible]
			Neustadt		
6	—	12	Etlas (1. Hälfte des Jahres) nicht abgegeben.		
7	—	—	Zwei ... Ochsen — dt.	—	20
			L. Paffart		
3	—	—	Koffer		2
			Dol Blum		
			Fürtrag Seite	15	26

Siehe andere Seite

31

terläßt, reicht nicht aus, seine Schulden zu bezahlen. „Eine Bettlade von Nußbaum nebst vollständigem Bett, ein Kanapee nebst 6 Stühlen von Nußbaumholz, zwei Tische von desgleichen, eine Commode, einen Nachtstuhl, zwei Spiegel, einen Nachttisch, einen Schrank, ein paar Vorhänge, eine ,Cylinder Uhr' von Silber, eine Tischdecke, 5 Handtücher", die das Nachlass-Inventar nennt, hat er geliehen von dem Handelsmann Bernhard Lehmann Trier. Das Bargeld 3 Fünf-Frankentaler und 2 Sechskreuzerstücke übernimmt sein Bruder Georg für die Beerdigungskosten; als Andenken für sich erwirbt er ein „Cigarren Etui". Die 27 Hefte von Beckers „Weltgeschichte für Kinder und Kinderlehrer" hat Niebergall – wie wohl auch Homers Odyssee und den „Don Quichote" von Cervantes – für seinen Beruf gebraucht. Dass seine Totenmaske echt ist, lässt sich nicht beweisen: Totenmasken abzunehmen, ist damals in Darmstadt nicht üblich gewesen, doch ist es natürlich möglich, daß ein Maler wie Niebergalls Freund August Fach, dem die Abnahme der Totenmaske zugeschrieben wird, das Unübliche getan hat.

1855
14. Juli: in einer Sitzung der Stundungskommission wurden nach der „Erhebungsliste über die auf Großherzoglich hessischer Universität gestundeten Honorarien" Niebergalls Schulden für Vorlesungen über Alte Geschichte, Kirchengeschichte, Genesis, Propheten und Psalmen im Betrage von 63 Gulden wegen Ablebens des Schuldners niedergeschlagen; „Beschlossen wurde, von der Eintreibung dieses Ausstandes zu abstrahieren."

(Als Quellen wurden benutzt: „Ernst Elias Niebergall, Sein Leben und seine Werke" von Karl Esselborn, Darmstadt, 1922. „Ernst Elias Niebergall, Dramatische Werke", herausgegeben von Georg Fuchs, Darmstadt, 1894. „Neue Quellen zur Lebensgeschichte des Ernst Elias Niebergall" von Hellmuth Gensicke, im „Archiv für hessische Geschichte und Altertumskunde", Neue Folge, 27. Band, Darmstadt, 1962/67.)

Schüler Niebergall

Urteil von Rektor Karl Dilthey im Abgangszeugnis vom Gymnasium, 3. Oktober 1832: „Er ist im Hebräischen mit gründlichen Kenntnissen, namentlich in der Grammatik ausgestattet. Im Griechischen gehörten die Übersetzungen und sonstigen Arbeiten meist zu den besseren. Im Lateinischen fehlt es nicht an Gewandtheit im Übersetzen und Interpretieren wie im mündlichen und schriftlichen Vortrag, dessen Kunst durch einige vorzügliche Arbeiten bewährt wurde. In der Geschichte und Mathematik könnten nach Verhältnisse der Kräfte die Kenntnisse und Fertigkeiten grösser sein, die Singstunde wurde selten besucht. Bei guten Anlagen und Kenntnissen und einem zusammenhängenden und geschmackvollen mündlichen und schriftlichen Vortrage wird Niebergall, wenn gewissenhafte Pflichterfüllung und ernstes Streben nach dem Guten stets damit verbunden werden, etwas Vorzügliches zu leisten jederzeit im Stande sein."

Korpsstudent Niebergall

Als die Pfälzer schon in Verruf waren, betrat Niebergall eines Tages das „Loose Heefche" gerade in dem Momente, als an einem mit Korpsstudenten besetzen Tische ein Gelächter losbrach. Niebergall, das Lachen auf sich beziehend, trat an den Tisch heran und sprach das geflügelte Wort: „'s ganz Kees'che (Käs-chen), wie's do sitzt, is gefordert!" – Die Geforderten zögerten nicht, dem beliebten Humoristen die Versicherung zu geben, daß über ihn nicht gelacht worden sei, und damit war die Sache erledigt.
(Aus K. Scharfenberg und W. Fabricius: „Geschichte des Corps Starkenburgia", Gießen, 1890.)

Karl Vogt, der berühmte Reichsregent von Anno 1849, gehörte zu den Palaten; und das ist so sicher wie Amen in der Kirche: wo der war, da gab's keine Ruhe, da waren die Tollsten! – Gleichwohl muss „Streff" – denn mit diesem Kneipennamen wurde der Dichter (Niebergall) bedacht – sich von den eigentlichen Aktionen, von den Brandreden im Vogelsberge und in der Wetterau, von dem heimlich ausgeübten Journalismus und Pamphletismus und den nach Tyrannenblut lechzenden Konventikeln zurückgehalten haben. Denn Karl Vogt selbst schildert mir seinen Verkehr mit Niebergall in folgendem launigen Briefe: „Ich kann Ihnen über den ,Streff' nur sagen, dass ich ihn schon als Gymnasiast kennengelernt und auf seiner Kneipe neben meinem väterlichen Hause das edle ,Solospiel' gelernt habe, wovon ein in meiner Erinnerung gebliebener Reim Zeugnis gibt:

> Der kleine Vogt, das fünfte Rad,
> Guckt immer in die Solokaat.

Übrigens passte auf diese Kneipe bei Bäcker Magnus vollkommen das Lied: ,Auf meiner Kneip' ist alles leer etc." Sogar das ,Mordgewehr' hing in Gestalt eines abgenutzten Schlägers an der Wand. Sonst die vollkommene ,Boheme', wie Sie dieselbe in Murgers Darstellung finden. Kartenspielen, Stipendium-Suppen essen, hungern, kneipen, wenn man Geld hatte, und Kollegien schwänzen." Ein anderer Gewährsmann erinnert sich seiner nur als eines Mannes, der, aus einer langen Pfeife qualmend, im ,Loose-Heefche', der berühmten Studentenherberge, saß und, ohne sich viel um das Getobe ringsum zu kümmern, stillvergnügt einen Schoppen nach dem anderen durch seine durstige Kehle rinnen ließ. Auch auf der Mensur ist er oft gestanden und hat grimmig um sich gehauen, daß die Fetzen stoben. Er ging nämlich lieber zum Weine als auf die Fechtscheuer, und was ihm an Übung infolgedessen abging, suchte er durch kühne, ungestüme Kraft zu ersetzen.
(Anmerkungen: „Kneipe" war die damalige Bezeichnung für eine Studentenbude; Karl Vogt (1817–1895) wurde später Naturforscher; das „Loose Heefche" gehörte dem Bierbrauer Loos, die Wirtschaft stand an der Stelle des heutigen Hauses Marktstraße 8. – Aus dem Vorwort von Georg Fuchs zu den von ihm herausgegebenen „Dramatischen Werken" Niebergalls, Darmstadt, Verlag von Arnold Bergstraeßer, 1894.)

Biedermeier Niebergall

Als Erzähler und Dichter von drei Balladen gehört Ernst Elias Niebergall zum gefühlvollen, von der Natur und der Vergangenheit schwärmenden Biedermeier. Erst in seinem letzten Werk, dem „Datterich", hat er sich von der Modeliteratur seiner Zeit ganz frei gemacht. Datterich hat die Absicht, seinem Duellgegner Schmidt zu empfehlen: „Bedrachte-Se noch emal die Gewechse un die iwwerig Naduhr um sich erum, vielleicht sähe-Se-se in wenig Minute aus eme hehere Gesichtspunkt." Die „Gewechse un die iwwerig Naduhr" werden pauschal eingepackt wie ein Hering in Zeitungspapier. Und wenn Datterich seinen Freund Spirwes fragt „Hat Ihne aach die schee Naduhr erausgelockt? ", so ist schon diese Frage scheinheilig: Datterich weiß, daß Spirwes einen schweren Kater hat, und Spirwes antwortet prompt: „Wos geht mich die Naduhr oh! Frisch Luft wollt ich scheppe."
Niebergall hat nach dem „Datterich" nichts mehr geschrieben, vielleicht auch deshalb, weil es ihm nach dem im „Datterich" erreichten Realismus nicht mehr möglich war, biedermeierliche Sentimentalitäten herzustellen. Zu ihnen gehört die folgende Ballade. Sie steht in der „vaterländischen Volkssage", die Niebergall unter dem Pseudonym „E. Streff" im Oktober 1836 unter dem Titel „Der Totenmarkt" in der „Didaskalia" veröffentlicht hat. „Totenmarkt" hieß eine Wiese in der Nähe von Dieburg; ihren Namen wollte Niebergall durch seine Sage erklären.

Vom Bergschloß der Ritter schaut nieder ins Tal,
Die Schönste der Schönen erschaut er zumal.

Feinsliebchen, geh mit mir, ich schwöre Dir fest,
Meine Liebe Dich selber im Grabe nicht läßt.

Das Kettlein verknüpft die Liebe und Treu,
Doch lieg' ich im Grabe, so geb ich Dich frei.

Und zieh' ich von hinnen in Schlachten und Not,
So bleib ich Dir treu bis zum blutigen Tod!

Drauf ziehet der Buhle wohl fern über's Meer:
Das Mägdelein sieht ihn im Leben nicht mehr.

Die Tränen, sie fließen ohn' allen Gewinn:
Laß ab, Dich zu grämen, Dein Buhle ist hin!

Niebergalls literarische Selbstkritik

In seiner Erzählung „Die Novelle. Etwas aus dem Leben" läßt Niebergall den von ihm erfundenen Poeten Felix Steinbach zur Einsicht gelangen: „Doch werde ich meinen Helden etwas ummodeln müssen; es ist gar zu sehr à la Clauren: man ist der blassen, interessanten Schwermutsfiguren müde, Clauren hat sein Publikum damit überfüttert." H. Clauren (Anagramm für Carl Heun, 1771–1854) war ein Bestsellerschreiber des frühen Biedermeier und mit seinem sentimentalen Stil ein Vorbild Niebergalls, der nur in seinen realistischen Lustsspielen die Kraft hatte, ihn zu verspotten: in „Des Burschen Heimkehr", wo Bärbel Knippelius sich an dem „Romane-

schinke" „Die spukende Nonne im Schauerthal" erbaut, und in „Datterich", wo der Datterich einen Liebesbrief im Stil Claurens verfaßt. Heinrich Heine meinte: „Clauren ist in Deutschland so berühmt, daß man in keinem Bordell eingelassen wird, wenn man ihn nicht gelesen hat". Daß Niebergall fähig war, die modische Biedermeierei zu durchschauen, beweist der Anfang seiner Erzählung „Die Mondscheinnacht in den Ruinen":

Es gibt Menschen, doch ist deren Zahl glücklicherweise nicht sehr groß, welche stets in erträumten Phantasien leben, deren weichgeschaffenes Gemüth von der prosaischen Alltäglichkeit des Lebens auf eine rauhe Weise berührt wird, welche darüber weinen möchten, wenn eine Butterblume neben ihnen im Grase zertreten wird, und der frühzeitig hingeschiedenen Blumenseele einen tiefgefühlten Seufzer nachschicken; die in Ekstase geraten beim Anblick irgend eines alten Gemäuers und in krankhafter Hingebung sich in die Zeiten eines romantischen Geschlechtes zurückträumen.

Es ist wohl recht schön und gut, wenn eine schöpferische Einbildungskraft die tötende Einöde des philiströsen Alltagslebens in eine lachende Flur voll glänzender Frühlingsblüten, murmelnder Bäche und flötender Nachtigallen umzuzaubern weiß; aber wir sollten darüber die großen Zwecke unseres Daseins nicht vergessen, nicht die mannigfachsten Beziehungen des ernsten Lebens, nicht den erhabenen Standpunkt, auf den uns die ewige Weisheit gestellt hat; denn sonst tappen wir durch die Welt wie irre Nachtwandler, von niemanden verstanden, niemanden befreundet, ein unnützes Glied in der weise zusammengefügten Kette der Menschheit; dem **einen** ein Gegenstand des Mitleids, dem andern eine willkommene Zielscheibe seines Witzes. Besonders ist dieser schwärmerische Rausch der Jugend eigen, weil da die Phantasie ihre buntesten Blasen wirft; doch nimmt sie ihn, zu ihrem Glücke, selten mit ins reifere Alter hinüber.

Auch ich war in dieser Zeit ein willenloses Spiel meiner verwöhnten Einbildungskraft, welche mich, durch keine Zügel eines wohltätig mahnenden Verstandes geleitet, stets in dem halbwachen Zustand eines Träumers eingewiegt erhielt, welcher alles um sich her vergisst und nur in selbstgeschaffenen Freuden und Leiden schwelgt.

Stammbuchblätter und Briefe

Das Stammbuch, ursprünglich dazu bestimmt, durch Namen und Daten von Familienangehörigen Auskunft über die Abstammung zu geben, hat sich schon gegen Ende des 16. Jahrhunderts zu einem allgemeineren Erinnerungsbuch entwickelt: Freunde trugen ihre Namen und Wahlsprüche ein und zeichneten ihr Wappen dazu. Im Biedermeier war es Mode, dem Freund beim Abschied etwas ins Stammbuch zu zeichnen, einen Vers dazu zu schreiben, auch ein „Motto" oder „Symbolum" – Wappen und Wahlspruch, biedermeierlich verbürgerlicht, sentimental oder scherzhaft. Georg Fuchs, der 1894 die erste kritische Ausgabe der Dramatischen Werke Niebergalls herausgab, beschrieb und deutete im Vorwort ein politisches Stammbuchblatt Niebergalls:

„Ein Stammbuchblatt, welches Niebergall, nachdem er sein Fakultäts-Examen bestanden, am 7. September 1835 vor seinem Wegzug von der Hochschule einem Bekannten ausstellte, ist für sein Verhalten den radikalen Umtrieben gegenüber sehr charakteristisch. Dasselbe zeigt auf der Rückseite eine symbolische, recht

geschickt ausgeführte Bleistiftzeichnung, welche einen hoch zu – Esel sitzenden Reitersmann darstellt. Das Grautier trägt eine Jakobinermütze und schnaubt aus dem aufgesperrten Maule sein Feldgeschrei: „yah!" An seiner Flanke hängt eine Trompete herab. Der Reiter hält in erhobener Hand ein Blatt mit den Anfangsworten der Marseillaise: „Allons enfants de la patrie . . ." – Hinter dem Reiter liegen auf dem Rücken des Esels drei Packete mit den Aufschriften Testament des Volksboten (Anmerkung: „Testament des deutschen Volksboten" von Wilh. Schulz, geb. 1797, machte die Freiheitskriege als Offizier mit, übernahm 1832 die Redaktion des „Hesperus" in Stuttgart und ward von den Organen der Reaktion arg umhergehetzt. Wegen des „Testamentes" wurde er in das Babenhauser Gefängnis gesetzt, von wo ihn seine heldenmütige Gemahlin befreite. Er nahm später seinen Aufenthalt in Zürich, wo er mit G. Büchner bis zu dessen frühem Tode freundschaftlich verbunden blieb. 1843 veröffentlichte er die „wahrhaftige Geschichte vom deutschen Michel und seinen Schwestern" (Zürich-Winterthur), kehrte 1848 nach Darmstadt zurück und wurde zum Abgeordneten in das deutsche Parlament gewählt), Censirtes Mancherlei, Wächter am Rhein (Anmerkung: In Folge der Bundestags-Erlasse von 1830 verboten). Vor dem Reiter hängt ein Packetchen herab mit der Signatur: Leuchter. – Es sind das die Titel von Flug- und Zeitschriften, welche in den 30er Jahren von den Demagogen viel gelesen, von der Regierung jedoch verboten waren. Die ironische und skeptische Auffassung der akademischen Demagogie ist jedoch nicht das Einzige, was uns an dieser Zeichnung interessiert. Viel wichtiger ist, daß dieselbe die einzige Beziehung enthält, welche zwischen Niebergall und G. Büchner konstatiert werden kann. – „Der Leuchter und Beleuchter für Hessen oder der Hessen Notwehr" war ein Flugblatt, welches Büchners unglücklicher Freund, der Pfarrer Weidig von Butzbach, im Winter 1833–34 erscheinen ließ. Die Mitarbeiterschaft Büchners zeigt sich dadurch an, dass dessen sozial-ethische Gedanken

schon darin angedeutet sind, welche er später im ‚Hessischen Landboten' so schroff zum Ausdruck brachte, daß er die Heimat verlassen musste".
Dieses Blatt ist, nebenbei bemerkt, nicht, wie Fuchs annimmt, „die einzige Beziehung" zwischen Büchner und Niebergall in Gießen: Beider Namen finden sich in der Burschenschafterliste der Gießener „Germania" (laut P. Wetzke, Burschenschafterlisten, 2 Bd., 1942). Und gemeinsam hatten sie den Denunzianten: Der Student Gustav Clemm erkaufte sich durch seinen Verrat der „Palatia" wie der Verschwörung um Weidig und Büchner seine Entlassung aus der Haft.

Auf der Vorderseite des Stammbuchblatts mit dem Esel steht:

„Fahre hin, du Flattersinn,
Denke immer dran,
Wenn ich einmal Philister bin,
Frage wied'r emal.

Gießen, d. 7 t. Sptbr. 35. – Zum freundschaftl. Andenken an Deinen Elias Streff, st. th., Erzieher von Ulm und zwar schnell, das heißt sehr. – Motto: Munter!" Dazu meint Fuchs: „Die Vorderseite enthält einen seichten, konventionellen Vers und eine unsinnig lautende Unterschrift, welche wohl nur den Besitzern eines geheimen Schlüssels verständlich war".
Am selben Tag zeichnete Niebergall seinem Freund Ernst Vogler (1815–1873; zuletzt Pfarrer in Hähnlein) vier Studenten bei Trunk und Kartenspiel mit der Unter-

Der Hessische Landbote.

Erste Botschaft.

Darmstadt, im Juli 1834.

Vorbericht.

Dieses Blatt soll dem hessischen Lande die Wahrheit melden, aber wer die Wahrheit sagt, wird gehenkt, ja sogar der, welcher die Wahrheit liest, wird durch meineidige Richter vielleicht gestraft. Darum haben die, welchen dies Blatt zukommt, folgendes zu beobachten:

1) Sie müssen das Blatt sorgfältig außerhalb ihres Hauses vorder Polizei verwahren;
2) sie dürfen es nur an treue Freunde mittheilen;
3) denen, welchen sie nicht trauen, wie sich selbst, dürfen sie es nur heimlich hinlegen;
4) würde das Blatt dennoch bei Einem gefunden, der es gelesen hat, so muß er gestehen, daß er es eben dem Kreisrath habe bringen wollen;
5) wer das Blatt nicht gelesen hat, wenn man es bei ihm fin- det, der ist natürlich ohne Schuld.

Friede den Hütten! Krieg den Pallästen!

Im Jahr 1834 siehet es aus, als würde die Bibel Lügen gestraft. Es sieht aus, als hätte Gott die Bauern und Handwerker am 5ten Tage, und die Fürsten und Vornehmen am 6ten gemacht, und als hätte der Herr zu diesen gesagt: Herrschet über alles Gethier, das auf Erden kriecht, und hätte die Bauern und Bürger zum Gewürm gezählt. Das Leben der Vornehmen ist ein langer Sonntag, sie wohnen in schönen Häusern, sie tragen zierliche Kleider, sie haben feiste Gesichter und reden eine eigne Sprache; das Volk aber liegt vor ihnen wie Dünger auf dem Acker. Der Bauer geht hinter dem Pflug, der Vornehme aber geht hinter ihm und dem Pflug und treibt ihm mit den Ochsen am Pflug, er nimmt das Korn und läßt ihm die Stoppeln. Das Leben des Bauern ist ein langer Werktag; Fremde verzehren seine Aecker vor seinen Augen, sein Leib ist eine Schwiele, sein Schweiß ist das Salz auf dem Tische des Vornehmen.

Im Großherzogthum Hessen sind 718,373 Einwohner, die geben an den Staat jährlich an 6,363,364 Gulden, als

1) Direkte Steuern	2,128,131	fl.
2) Indirecte Steuern	2,478,264	„
3) Domänen	1,547,394	„
4) Regalien	46,938	„
5) Geldstrafen	98,511	„
6) Verschiedene Quellen	64,198	„
	6,363,363	fl.

Dies Geld ist der Blutzehnte, der von dem Leib des Volkes genommen wird. An 700,000 Menschen schwitzen, stöhnen und hungern dafür. Im Namen des Staates wird es erpreßt, die Presser berufen sich auf die Regierung und die Regierung sagt, das sey nöthig die Ordnung im Staat zu erhalten. Was ist denn nun das für gewaltiges Ding: der Staat? Wohnt eine Anzahl Menschen in einem Land und es sind Verordnungen oder Gesetze vorhanden, nach denen jeder sich richten muß, so sagt man, sie bilden einen Staat. Der Staat also sind Alle; die Ordner im Staate sind die Gesetze, durch welche das Wohl Aller gesichert wird, und die aus dem Wohl Aller hervorgehen sollen. — Seht nun, was man in dem Großherzogthum aus dem Staat gemacht hat; seht was es heißt: die Ordnung im Staate erhalten!

schrift: „Hängt! Re! Schmollis! He!!" Der Student rechts ist Vogler, der Student links daneben mit der geflickten Hose „soll" – so schreibt Karl Esselborn in seinem Vorwort zu Niebergalls „Erzählenden Werken" (drei Bände, Darmstadt, 1925) – „Niebergall selbst sein." Auf der Vorderseite steht:

„Warlich, in dem Pardiese
Lebt der Engel sel'ger Schwarm
Nicht so, als bey'm Cerevise
Einst wir lebten sonder Harm:
Darum immer froh und munter
Bis der Lebensfaden reißt
Und uns auf den Grabeshügel
Einst der Hund 'en Haufen scheißt.

Gießen, den 7. September 35. Zur Erinnerung an Deinen treuen Freund und akadem. Bruder Elias Streff, stud. theol."

Zwei Tage danach zeichnete Niebergall seinem Freund Hermann Becker (1815 bis 1841; zuletzt Vikar in Albig) eine Studentenbude und schrieb dazu:

„Wenn auch des Schicksals Wetter braußen,
Und himmelhoch das Pech sich thürmt,
Des Mißgeschickes Schläge saußen,
Wenn das Malheur wild auf uns stürmt:
Ich schwör's bey Deinem vis à vis:
Uns trennt der Zeiten Wechsel nie.

Gedenke zuweilen, lieber Dicker, Deines treuen Freundes und der fidelen Tage, die wir auf der Hochschule verlebten. Ernst Niebergall, v. Streff mp. Gießen, d. 9t. Sptbr. 35. Symbolum: Fidel bis zum Bettelsack."

Zwei weitere Stammbuchblätter sind weniger ergiebig. Das eine, am 11. September

1835 an den aus Groß-Umstadt stammenden Studenten Franz Vowinkel gerichtet, enthält zu einem gezeichneten Heuhüpfer die Verse:

„Wie glichst Du, Freund, zu mancher Stunde
Dem abgemalten Thierchen da –
– Der Vogelsberg gibt uns die Kunde,
Was in den Scheuern oft geschah –
Du hüpftest fröhlich in dem Heu,
Doch ach! schnell war der Tanz vorbey!"

Nur zwei Briefe Niebergalls sind auf die Nachwelt gekommen, beide im April 1837 in Dieburg geschrieben, und in beiden appelliert Niebergall an Freunde, sein in Worms auf Pump gedrucktes Stück „Des Burschen Heimkehr" zu subskribieren: da er dringend Geld brauchte, um seine Gießener Schulden zu bezahlen, wollte er den Buchhandel umgehen. Außerdem enthält der Brief an Staudinger ein paar hübsche Sätze über seine Tätigkeit als Schulmeister in Dieburg. Ob die geplante Liebhaber-Aufführung in Umstadt zustandegekommen ist, weiß man nicht.

Herrn
Kandidaten Vogler
Wohlgeboren

Geliebter Adonis!
Wie ich weiß, hat die Fama schon zu Deinen überraschten Ohren die Kunde getragen, daß ich mit dem großartigen Plane schwanger gehe, durch Herausgabe meines alten, verbesserten u. vermehrten Hammels einen neuen Menschen in Gießen anzuziehen. Freund Eich, bey welchem ich diese Ostern vergnügt zubrachte, rieth mir, den Weg der Subscription einzuschlagen, u. unterstützte diesen Rath mit so „grindigen Triften", daß ich es für's Beste hielt, ihm zu folgen, um nicht mein letztes Noth- u. Hülfsbüchlein einem unersättlichen Buchhändler für einen Spottpreis in den gierigen Rachen werfen zu müssen. Eich, welcher an mir als ein ächter Freund in der Noth handelte, u. meine ewige Dankbarkeit verdient, reiste sogleich mit mir nach Worms u. unter seinen Auspicien schloß ich einen Accord mit einem dasigen Buchdrucker, welcher für fl. 120 – mir 1200 Exemplare auf einstweilen Pump druckt. Es handelt sich jetzt nur um Subscribenten. Von meiner Stube aus fliegen unaufhörlich Sendschreiben nach allen Strichen der Windrose, um Unterschriften zu kapern; auch an Dich, Theurer, gelangt jetzt ein solches, mit der Bitte, in dem zahlreichen Kreise Deiner Bekannten u. Gönner zu Gunsten Deines vom Schicksal mißhandelten Freundes zu wirken u. die Ankündigungen wo möglich in der Umgegend zu verbreiten. Ich brauche Dir die thätige Besorgung dieses Liebesdienstes nicht erst an's Herze zu legen, denn Du weißt ja, wo mich der Schuh drückt u. wie mir allein zu helfen ist. Lasse auch eine Ankündigung an Lips ergehen, mit der Bitte in meinem Namen, auch Seinerseits sich für m. Interesse zu bemühen: aber Alles so schnell als möglich, denn sowie die Unkosten durch eine hinlängliche Anzahl Subscribenten gedeckt sind, lasse ich drucken. Bezahlt wird erst bey der Abliefer(un)g der Exemplare, welche portofrey erfolgt. In Umstadt, wo Hr. Assessor Dittmar die Subscription besorgt, wird das Stück wahrscheinlich bald v. dem Liebhabertheater aufgeführt. Ich

hoffe, daß Du Dich alsdann einfindest, es gibt einen mohrenmäßigen Trödel. Pferch hält sich seit einigen Wochen bey Bornhoke auf, wo sie sich durch höllisches Ochsen zum Examen vorbereiten. Dieser Tage gehen sie als hoffnungsvolle Blüthen nach Gießen. Weiter wüßte ich nichts Neues, als daß Beschwanz u. Nas den ersten May sich ebenfalls in's Examen wagen. Lebe wohl u. lasse Dir meine Bitte am Herzen liegen u. zwar bis dat, qui cito dat, nil dat, qui munera tardat. Also schnell, d. h. sehr, durch Gestank. Die gesammelten Unterschriften sende baldigst hierher. Viele Grüße an Dich u. Lips von Deinem

treuen Freund

E. Niebergall

Dieburg d. 18ten April 1837.

An
Herrn Staudinger, cand. cam.
Wohlgeboren
Frey Battenberg.
Itter

Lieber Freund!

Zwar weiß ich nicht, ob Dich dieser Brief noch am Leben antrifft u. vermuthe fast, daß der lüsterne Pluto zum zweiten Mal eine Jungfer von der Oberwelt raubte; doch will ich es risquiren u. habe Anstalten getroffen, daß im angenommenen Fall Freund Charon mit der ordinären Gelegenheit mein Schreiben an Dich besorgt. In der That, es ist lange, daß ich nichts von Dir gehört habe. Nur einmal klang die Mähr mir in das erstaunte Ohr, Gießen habe das Gastrecht so schnöde verletzt, daß es seinen Schergen geboten, ihre verruchte Hand an Dein geweihtes, bemoostes Haupt zu legen, über welches die Stürme von mehr als einer Burschengeneration machtlos hingezogen waren. Ist es wahr? Seit Herbst 35 bin ich hier als Schulmeister angestellt, habe ein Dutzend Kinder (Buben u. Mädchen, darunter ein sehr schönes, welches ich bis Pfingsten confirmiren helfe) zu unterweisen u. daher über meiner Schulstube den erbaulichen Vers mit goldenen Buchstaben setzen lassen:

„Allhier erzieht man die Jugend
Zu Gottesfurcht u. Tugend,
Zerbläuet auch den Hintern
Den widerspenst'gen Kindern."

Du wirst lachen u. Dir den alten, leichtsinnigen Streff in seinem Amt u. Würde kaum vorstellen können; ich selbst kam mir Anfangs höchst spanisch vor, allein mit der Zeit, lieber Freund, gewöhnt man sich an Alles. Jetzt eine Bitte, die Du hoffentlich nicht ungünstig aufnehmen wirst. Aus der eingeschlossenen Anlage siehst Du, mit welchem kühnen Plan ich schwanger gehe; es ist eine Finanzspeculation, bey der ich vorzüglich auf den Beistand meiner Freunde rechne, welche sich hoffentl. bemühen, mir, soweit es ihnen möglich ist, in ihrem Wohnort u. der angränzenden Umgegend unter ihren Bekannten für Subscriptionen zu sorgen. Ich habe schon an Mehrere geschrieben u. viele Bereitwilligkeit gefunden: nun wende ich mich mit derselben Bitte an Dich u. bin überzeugt, daß Du aus alter Freundschaft Deine vielberühmte

Suada zu meinen Gunsten nicht sparen werdest. Der Ertrag dieser Speculation ist dazu bestimmt, meine Schulden in Gießen, u. besonders bey Deiner Tante, zu tilgen u. mir dadurch den Weg in das Examen zu bahnen, der mir sonst wohl auf ewig versperrt bleiben würde. Ein relegirter Studio ist die Hauptperson des Stückes u. die Pennäler in Korbach subscribiren vielleicht auch, wenn Du die Ankündigung an sie gelangen lässest, ohne daß es natürlich, Dir allzuviel Mühe u. Zeit kostete. Auch nach Vöhl, wo Schweisgut vielleicht eben ist, habe die Güte, zu schicken: sind es auch nur ein paar Unterschriften, so summirt es sich am Ende doch u. macht mich zum Rothschild. Ich glaube mich nicht zu täuschen, wenn ich hoffe, Du werdest Dich für die Sache interessiren. Bornhoke u. Pferch gehen nächstens nach Gießen in's Examen; sie ochsen eben in Langen zusammen; Nas u. Beschwanz wagen sich desgl. in Darmstadt in diese Gefahr – Letzterer wird wohl deßh(a)lb durchkommen, weil er sich durch Production einer veredelten Race von Schweinen unsterblich verdient gemacht hat. Wie steht es mit Dir? Willst Du wirklich umsatteln u. dem Vaterland einen großen Geist entziehen? Ich würde Dir davon abrathen. Ich muß schließen, denn m. Kinder sammeln sich schon in der Schulstube, u. harren meiner.
Darum nur noch viele Grüße von Deinem

Dieburg d. 21ten Apr. 37.

treuen Freund
E. Niebergall, cand. theol.

P.S. Die resp. Unterschriften habe doch die Güte, baldigst zu senden, damit ich wegen des Drucks Ordres geben kann Bezahlt wird erst bey der portofreien Ablie-fer(un)g des Buchs. Nimm mir ja m. Bitte nicht übel!

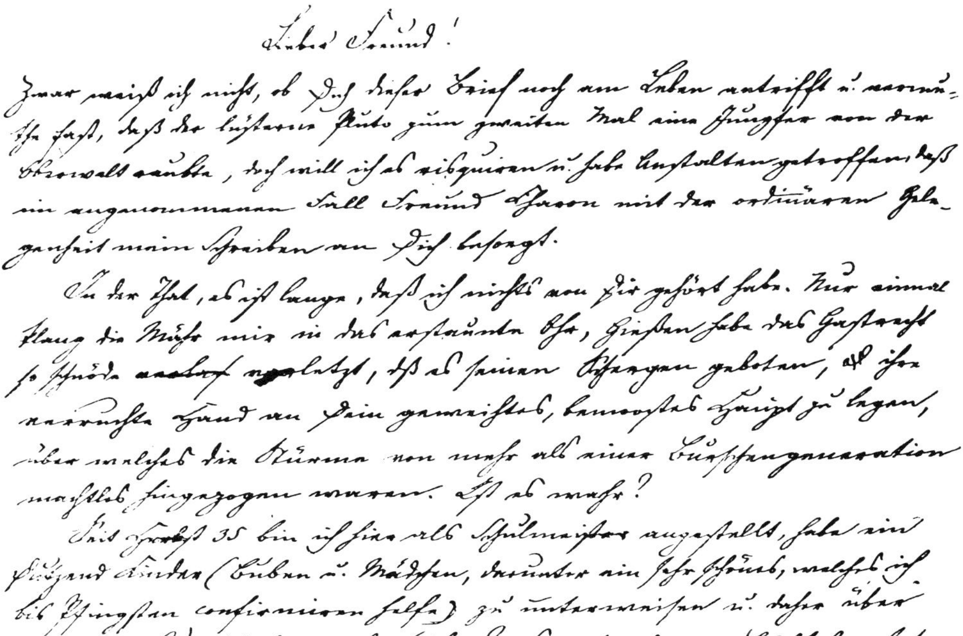
Lieber Freund!

Zwar weiß ich nicht, ob Dich dieser Brief noch am Leben antrifft u. vermuthe fast, daß der lüsterne Pluto zum zweiten Mal eine Jungfer von der Oberwelt raubte, doch will ich es riskiren u. habe Anstalten getroffen, daß im angenommenen Fall Freund Charon mit der ordinären Gelegenheit mein Schreiben an Dich besorgt.

In der That, es ist lange, daß ich nichts von Dir gehört habe. Nur einmal klang die Mähr mir in das erstaunte Ohr, Gießen habe das Gastrecht so schnöde verletzt, daß es seinen Schergen geboten, ihre verruchte Hand an Dein geweihtes, bemoostes Haupt zu legen, über welches die Stürme von mehr als einer Burschengeneration machtlos hingezogen waren. Ist es wahr?

Seit Herbst 35 bin ich hier als Schulmeister angestellt, habe ein Dutzend Kinder (Buben u. Mädchen, darunter ein sehr schönes, welches ich bis Pfingsten confirmiren helfe) zu unterweisen u. daher über meiner Schulstube den erbaulichen Vers mit goldenen Buchstaben setzen lassen:

„Allhier erzieht man die Jugend
Zu Gottesfurcht u. Tugend,
Zerbläut auch den Hintern
Den widerspenst'gen Kindern."

Du wirst lachen u. Dir den alten, leichtsinnigen Kraft in seinem Amt u. Würde kaum vorstellen können; ich selbst kam mir Anfangs recht spanisch vor, allein mit der Zeit, lieber Freund, gewöhnt man sich an Alles.

Jetzt eine Bitte, die Du hoffentlich nicht ungünstig aufnehmen wirst. Aus der eingeschlossenen Anlage siehst Du, mit welchem kühnen Plan ich schwanger gehe; es ist eine Finanzspeculation, bey der ich vorzüglich auf den Beistand meiner Freunde rechne, welche sich hoffentl. bemühen, wie, soweit es ihnen möglich ist, in ihrem Wohnort u. der angränzenden Umgegend unter ihren Bekannten für Subscriptionen zu sorgen. Ich habe schon an Mehrere geschrieben u. viele Bereitwilligkeit gefunden: nun wende ich mich mit derselben Bitte an Dich u. bin überzeugt, daß Du aus alter Freundschaft Deine vielbewährte Gnade zu meinen Gunsten nicht sparen werdest. Der Ertrag dieser Speculation ist dazu bestimmt, meine Schulden in Gießen, u. besonders bey Deiner Tante, zu tilgen u. mir dadurch den Weg in das Examen zu bahnen, der mir sonst wohl auf ewig versperrt bleiben würde. Ein relegirter Studio ist die Hauptperson des Werkes u. die Famulare in Korbach subscribiren vielleicht auch, wenn Du die Ankündigung an sie gelangen ließest, ohne daß es natürlich Dir allzuviel Mühe u. Zeit kostete. Auch nach Kassel, wo Schreibgut vielleicht eben ist, habe die Güte, zu schicken: sind es auch nur ein paar Unterschriften, so summirt es sich am Ende doch u. macht mich zum Rothschild. Ich glaube mich nicht zu täuschen, wenn ich hoffe, Du werdest Dich für die Sache interessiren.

Lorsche u. Stork gehen nächstens nach Gießen ins Examen; sie sitzen aber in Ängsten zusammen; Kab u. Lachmann wagen sich dagegen in Darmstadt in diese Gefahr — Letzterer wird wohl deshalb durchkommen, weil er sich durch Production einer

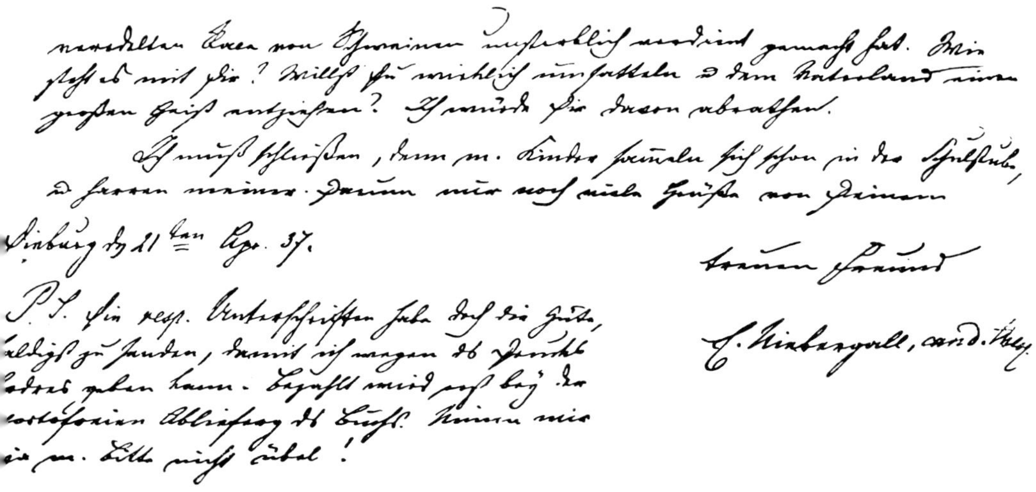
[illegible] von Schwärmern [illegible] gemacht hat. Wie steht es mit Dir? Willst Du wirklich umsatteln u. dem Vaterland einen großen Geist entziehen? Ich würde Dir davon abrathen.

Ich muß schließen, denn m. Kinder sammeln sich schon in der Schulstube, u. harren meiner. Darum nur noch viele Grüße von Deinem

Dieburg d. 21ten Apr. 37.

treuen Freund

E. Niebergall, cand. theol.

P.S. Die resp. Unterschriften habe doch die Güte, [illegible] zu senden, damit ich wegen d. Druckes Adresse geben kann. Bezahlt wird erst bei der [illegible] Ablieferung d. Buchs. Nimm mir [illegible] m. Bitte nicht übel!

Darmstädter Miniaturen

Schepp Allee

Nicht leicht wird ein erwachsenes Darmstädter Kind gefunden werden, welches sich in seinen Knabenjahren nicht manch liebes Mal auf den Tannen der sogenannten „Scheppen Allee" vor dem Neckartore mit Klettern belustigt hätte. In der Tat laden die teils krüppelhaft nur wenig über dem Boden hinkriechenden, teils in den sonderbarsten Windungen und Verschlingungen nach allen Weltgegenden hingestreckten Stämme und Verästungen ein junges Gemüt so verführerisch zum Hinaufsteigen ein, daß Lockungen der fröhlichen Gegenwart meist den Sieg über die bangen Besorgnisse davontrugen, welche den am Abend müde ins elterliche Haus heimkehrenden Kletterer wegen der zerrissenen Feiertagshosen nur allzu oft zu begleiten pflegten. (Aus „Das Griesheimer Haus" von E. E. Niebergall)

Herrgottsberg

Wo sich die liebliche Bergstraße nach Norden zu in die sandige Ebene Darmstadts verliert, erheben sich einige Waldhöhen, unter ihnen der Herrgottsberg. Durch schattige Buchen führen trauliche Pfade auf seinen Gipfel; droben sieht man auf frische Waldwege herab, und die rings verbreitete Stille übt ihren Zauber auf empfindsame Seelen. Vor Alters stand hier, wie die Sage berichtet, eine Kapelle; wann und von wem sie gegründet wurde, beantwortet die Geschichte ebenso wenig, als wann sie unterging. Doch die dunkle Sage findet Bestätigung in einem verschütteten unterirdischen Gange, der nach dem Glauben Vieler sich bis zu dem Heiligenkreuzberge, eine Viertelstunde nordöstlich von der Stadt, hinziehen soll, und in den Spuren zerbröckelnden Mauerwerks in dem Boden. (Aus „Der Herrgottsberg" von E. E. Niebergall)

Aus Frankfurter Sicht: Spargel

Die Spargel der Darmstädter waren im Biedermeier so berühmt, daß Carl Julius Weber im zwölften Band seines „Demokritos" 1836 einen Hinweis nicht unterdrücken konnte auf „jene Damen, deren eine von den großen Spargeln Darmstadts sprach: ‚Daß man sich fast schämen müsste, sie in die Hand zu nehmen'."
Die Mundart der Darmstädter – richtiger: was ein Frankfurter dafür hält – hätte Niebergall ein Jahr vor der Uraufführung seines Stücks „Des Burschen Heimkehr" hören können im Darmstädter Hoftheater, wäre er am 14. Dezember 1836 von Dieburg herübergekommen: man spielte von dem Frankfurter Dialektpossendichter Carl Malß „Hampelmann im Eilwagen", in dem sich der Darmstädter Gerichtsaccessist Servatius hören läßt: „Ah! Die Gegend hat sich auch veschenet. Gott, was e scheen Efindung die Ludwigshöh, die Aussicht is subbeb, subbeb! Ohne sich's zu vesehn, bemekt me duch's Gebüsch Häuse un en Tempel." Vom Frankfurter „Hampelmann" wird er belehrt: „Mir Frankforter redde im gewöhnliche Lewe zwar nicht das angenehmste Deitsch; awwer der gebildete Frankforter, (mit Würde) un namentlich aus dem Hannelsstand, würd sich jederzeit in einem, wenn auch nicht ganz vollkommenen doch aber in einem Hochdeutsch von bester Qualität auszudricke wisse. Zumal da er – was das R anbelangt, von der Natur nicht als Stiefmutter behandelt worden ist – (bei Seite) do host es', Spargel!"
Bei Carl Malß war der Darmstädter, inmitten seiner Spargelfelder, bereits hinreichend charakterisiert, wenn er kein R sprechen konnte, im übrigen hatte Malß kein Ohr für die Mundart der Darmstädter. Statt „Frankfurt" sagt Servatius „Fankfut", und das hat kein Darmstädter je gesagt; wenigstens das erste „r" in „Frankfurt" schafft er doch. Zu welchen Leistungen er auf diesem Gebiet fähig ist, bezeugt die Anekdote vom Darmstädter Stationsvorsteher, der, vom Großherzog ermahnt, wenigstens beim Besuch ausländischer Fürsten das „r" auszusprechen, die klassische Darmstädter Ortsansage geschaffen hat: „Starrrrtion Dammstarrrdt!"

Das Datterich-Jahr

Steifschächter im „Datterich": „Ich kimmer mich wenig um des, was außerhalb vorgeht."

1840
Geboren werden: der Politiker und Mitbegründer der sozialdemokratischen Partei August Bebel; der österreichische Maler Hans Makart; der französische Maler Claude Monet; der französische Bildhauer Auguste Rodin; der russische Komponist Peter Tschaikowskij; der französische Schriftsteller Emile Zola. – Es sterben: der deutsche Schriftsteller Karl Immermann; der deutsche Maler Caspar David Friedrich; der italienische Violinvirtuose und Komponist Niccolo Paganini (Schmidt zu Datterich über einen Geiger: „Des is dem Paganini sei Bruda." Datterichs Erwiderung: „Wos? Ei der kann's noch besser; dann der Paganini geit blos uf ahner Seit, un Der uf drei.") – **Politik:** Kriegsgefahr durch Ägyptenkrise; die europäischen Großmächte, außer Frankreich, unterstützen die Türkei gegen Ägypten. (Dazu Dummbach: „Mir erläwe's net, awwer Sie wern sähe, daß ich recht hob: in fufzig Johr sinn mer all

Derke!"). – Königin Victoria von Großbriannien heiratet Prinz Albert. – Friedrich Wilhelm der Vierte wird König von Preussen. – In Irland gründet Daniel O'Connell seine „Nationale Gesellschaft zur Aufhebung der Zwangsunion mit Großbritannien"; die Regierung verhängt über Irland das Standrecht. Die Iren hatten die Wahl zwischen Hungertod und Auswanderung nach Amerika (Dazu Dummbach: „In Erland sinn die Leit des ewig Kadoffelfresse mihd, weil-en der O'Connell gesagt hat, es gehbt noch bessere Speise" – fünf Jahre später verhungern durch die Kartoffelfäule eine Million Iren). – Die Franzosen schicken den General Bugeaud als Gouverneur nach Algier, nachdem Abd el Kader, der Emir von Mascara, den „heiligen Krieg" gegen Frankreich verkündet hat. (Dazu Dummbach: „Die Franzose vagrehßern sich uf Unkoste annerer unsivelisirder Nazione in Afrika, um de Russe den Wähk nooch dem Kaukasus obzuschneide.") – Proudhon proklamiert: „Eigentum ist Diebstahl". – Die „Trierische Zeitung" veröffentlicht, als in Frankreich wieder der Rhein als Grenze gefordert wird, das „Rheinlied" von Nikolaus Becker („Sie sollen ihn nicht haben, den freien deutschen Rhein"); es wird in vielen deutschen Zeitungen nachgedruckt. (Dazu Dummbach: „Ich muß gesteh, es hot mich geschmerzt; es kennt mich net ärjer schmerze, wann der Rhei(n) ufgehehrt hett, der vaddalendische Strom zu sei, wo ich doch sonst als soog: sie sollen-en net hawwe . . ."). – **Literatur:** „Der Mantel" von Nikolai Gogol; „Des Meeres und der Liebe Wellen" und „Weh dem, der lügt" von Franz Grillparzer; „Unpolitische Lieder" von Hoffmann von Fallersleben; „Ein Held unserer Zeit" von Michail Lermontow; „Die Wacht am Rhein" von Schneckenburger. – **Musik:** Robert Schumanns „Liederjahr" mit 168 Gesängen; er heiratet Klara Wieck; „Die Regimentstochter" von Donizetti; „Faustouvertüre" von Richard Wagner; Klaviersonate b moll op 35 (mit dem Trauermarsch) von Chopin; „Wer hat dich, du schöner Wald . . ." von Mendelssohn; A. Debain entwickelt sein Harmonium. – **Wissenschaft und Technik:** Justus von Liebig begründet mit „Die organische Chemie in ihrer Anwendung auf Agrikultur und Physiologie" die moderne Landwirtschaft durch künstliche Düngung. – Morse erfindet sein Telegraphenalphabet. – **Darmstadt und Umgebung:** es erscheint ein „Adreßbuch für Hessen"; Darmstadt hat rund 24 000 Einwohner. Die Fabrik Merck stellt ihre erste Dampfmaschine auf. Das Unterhaltungsblatt „Der erzählende Hausfreund" erscheint im Verlag Heinrich Jacoby; der „Allgemeine Darmstädter Anzeiger" im Verlag von Ernst Bekker. Die „Großh. Hessische Zeitung" vom 2. Dezember meldet aus Frankfurt, man habe „etwa 109 Stück Pferde, unter militärischer Bedeckung auf die Mainzer Straße kommend, hier einbringen sehen. Sie gehörten, wie man hörte, einem hiesigen Pferdehändler und waren für Frankreich bestimmt, wurden aber an der Grenze abgewiesen und hierher zurückgebracht". (Dazu Dummbach:: „Alles rist't; die Franzose hawwe Geil im Vogelsberg gekaaft, un der Kenig von Werdemberg schickt exbräß Leit noch Persje, daß se Geil hole. Mahne Sie, all' diese Ereignisse wehrn so per Zufall? "). – Das Jagdschloß Kranichstein wird umgebaut. In Darmstadt diskutiert man über den bevorstehenden Bau der Rhein-Neckar-Bahn: erst 1846 fährt der erste Zug ein. (Dazu Dummbach: „Nemme-Se nor, wieviel reise dann an Dammstadt vabei, die wo sonst ihr Lebdag net vabeigerahst wehrn? ")

1841
Geboren werden: der französische Maler Auguste Renoir; der tschechische Komponist Anton Dvorak; der englische Afrikaforscher Henry M. Stanley. – Es sterben:

der russische Dichter Michail Lermontow; der deutsche Bildhauer Johann Heinrich Dannecker; der deutsche Baumeister Karl Friedrich Schinkel. – **Politik:** 10. Februar: Königin Viktoria von England läßt ihre Tochter Viktoria taufen (Dummbach: „Die Vikdoria hot dahfe losse"). – Der Dardanellen-Vertrag verbietet allen nichttürkischen Kriegsschiffen die Durchfahrt. Britisch-afghanischer Krieg. – **Literatur:** „Über Helden und Heldenverehrung" von Thomas Carlyle; „Lederstrumpf" von James F. Cooper; „Die Glücksritter" von Joseph von Eichendorff; „Das Wesen des Christentums" von Ludwig Feuerbach; „Uli der Knecht" von Jeremias Gotthelf; „Judith" von Friedrich Hebbel; „Sigismund Rüstig" von Captain Marryat; „Der Mord in der Rue Morgue" von Edgar Allan Poe; „Die beiden Grundprobleme der Ethik" von Arthur Schopenhauer; „Das Kajütenbuch" von Charles Sealsfield; Gründung des englischen satirischen Blattes „Punch" in London. – **Musik:** Frühlingssymphonie und 4. Symphonie d-moll von Robert Schumann; Adolphe Sax erfindet das Saxophon. – **Wissenschaft und Technik:** R. A. v. Kölliker erkennt, daß Samenfäden die Träger der Eibefruchtung sind. Borsigs erste Lokomotive. Erste verbilligte Gesellschaftsreise für Thomas Cooks Mäßigkeitsverein. Eröffnung des Berliner Zoos. – **Darmstadt und Umgebung:** Am 11. Januar beginnt das Tauwetter und ruft Überschwemmungen hervor; überall wird für die Betroffenen gesammelt. (Dazu Dummbach: „Allgemei hehrt ma von Iwwerschwemmunge"). Im Januar wird im hessischen Landtag auf Antrag des Freiherrn von Gagern über eine Kommission zur Förderung und Leitung der Auswanderung verhandelt. (Dazu Datterich: „Un wos wannert widder e Menschespiel nach Amerika aus!"). Die „Großh. Hessische Zeitung" ruft am 18. Januar auf, Geld für das Hermannsdenkmal im Teutoburger Wald zu spenden. (Dazu Datterich: „Hawwe-Se aach Ebbes for des Hermannsmonement unnerschriwwe? "). Im Februar wird „Der erzählende Hausfreund" umbenannt in „Der hessische Hausfreund" (Dummbach: „Mei, is der hessisch Hausfreind noch net do? "). Im „Hessischen Hausfreund" erscheint das Gedicht „Der Geist im Großen Woog" von Hofsekretär Karl Merck. Das „Frankfurter Journal" meldet am 24. Januar, in Darmstadt werden „die militärischen Rüstungen mit großer Beharrlichkeit und erhöhter Tätigkeit fortgesetzt, seit länger als vier Wochen war die Zahl der mit Anfertigung von Infanteriemunition beschäftigten Mannschaften bis auf achtzig erhöht worden". (Dazu Dummbach: „Alles rist't".) – Am 1. März läßt die Großh. Hessische Regierung oberhalb Biebrich im Rhein zwei Fuß hoch über den Wasserspiegel einen Steindamm errichten, um zu verhindern, daß der „ausländische" (= nassauische) Biebricher Hafen dem Mainzer Konkurrenz macht. (Dazu Bennelbächer: „Ich hett net gedenkt, daß die Mainzer so dienstferdige Leit wehrn . . . howwe-se net ihre Nochbers-Leit, do de Biewricher, so un so viel Schiff vonn Stah zu ihrme Hafe gefohrn un wolle kahn Heller davor? "). Der Streit zwischen Mainz und Biebrich ist das letzte politische Ereignis des Jahres, das im „Datterich" auftaucht. Am 11. und 16. April zeigt der Hofbuchhändler Ludwig Pabst (1808–1889) im „Hessischen Hausfreund" und am 14. April in der „Großh. Hessischen Zeitung" an: „In meinem Verlag ist erschienen: Datterich. Lokalposse in der Mundart der Darmstädter in sechs Bildern. Vom Verfasser des tollen Hund's. In farbigem Umschlag, mit Handzeichnungen, geh. 54 kr. Allen Freunden einer heiteren Lektüre empfehle ich diese trefflich gezeichneten, an echtem Witz und Humor reichen Bilder."

Der Suldan in seim Diwan

„Während dem Des vorgeht, sitzt der Suldan in seim Diwan un lacht ins Feistche": Dummbach im „Datterich".

Sultan, im Arabischen so viel als: Mächtiger; diesen Namen führt der türkische Kaiser. Er gebietet unumschränkt über Gut und Blut seiner Unterthanen, insbesondere der höhern Staatsbeamten, die er ohne Urtheil und Recht absetzen oder hinrichten läßt. Sie küssen die Schnur, die er ihnen zuschickt, und er ist ihr natürlicher Erbe. Der Sultan giebt Gesetze, ohne ihnen selbst unterworfen zu seyn; nur die Furcht vor der öffentlichen Meinung, wenn sie sich durch Aufruhr ausspricht, und der Koran binden seinen Willen. Alle Unterthanen sind vor ihm gleich, denn alle sind seine Sklaven. Das Volk hat keine Rechte. Die Prinzen von Geblüt leben, sobald sie volljährig sind, in einer Art ehrenvollen Gefangenschaft in dem Palast Eski-Serail. Diese Schlachtopfer einer schlechten politischen Verfassung, leben von der Gesellschaft abgesondert, und dürfen ihre Kerker nur während des Bairamfestes auf einen Augenblick verlassen, um dem Sultan ihre Ehrfurcht zu bezeugen. Sinnliche Vergnügungen sollen ihre einzigen Erholungen ausmachen; die aus ihren Verbindungen erfolgende Zeugen werden aber unerbittlich den Händen des Mörders überliefert.

Divan Diwan, in der Türkei ein von der Erde einen Fuß hoch erhabenes Gerüste, das man in allen Sälen der Paläste und Zimmern der Privatpersonen findet. Es ist mit einer kostbaren Tapete bedeckt, und hat viele an die Wand gelehnte, gestickte Kissen. Auf ihm ruht der Herr des Hauses und nimmt Besuche an.

(Aus „Neuestes Zeitungs- und Conversations-Lexicon. Ein bei den gegenwärtig Russisch-Türkischen Kriegs-Ereignissen unentbehrliches Hülfs- und Taschenbuch für alle Stände. Nach den zuverläßigsten Forschungsquellen". Augsburg und Leipzig, 1828.)

Zensur

Als Kuriosum wollen wir bemerken, daß die in der Dreibrunnenscene des sechsten Bildes vorkommenden Polizeidiener in dem ursprünglichen Texte ebenfalls in Darmstädter Mundart sprachen, was aber der Censor mit der Würde derselben für unvereinbar hielt, so daß der Verfasser sich bequemen mußte, die betreffenden Stellen in Schriftdeutsch umzuändern. (C. Scriba (1823–1883), ein Bekannter Niebergalls, in seiner Vorrede zur 7. Auflage des „Datterich" (Friedberg, 1888), dessen Verlagsrechte er erworben hatte. Diese Vorrede enthält die erste biographische Skizze Niebergalls.)

Auf der Bühne

„Des Burschen Heimkehr" wurde zum erstenmal am 9. September 1837 von einer wandernden Schauspieltruppe in L. Dolls Wirtshaussaal vor dem Darmstädter Rheintor gespielt. Niebergall, damals 22 Jahre alt und Hauslehrer in Dieburg, könnte eine der Aufführungen zwischen dem 9. und dem 22. September besucht haben. „Datterich"-Aufführungen lassen sich zu seinen Lebzeiten nicht nachweisen. Das „Som-

mertheater in Rost's Etablissement auf dem Chausseehause" (in Bessungen; Heidelbergerstraße) „unter der Direction der Frau Marie Fidy-Hoch" (aus Mainz) spielte, wie es auf dem Theaterzettel heißt, „zum Erstenmale" den „Datterich" am 2. (Wiederholungen am 10. und 22.) August 1862 „zum Benefiz für Herrn Louis Nötel" in der Titelrolle. Nötel war Darmstädter, geboren am 25. Januar 1837, in dem Jahr, in dem sein Vater Philipp Nötel bei der Uraufführung von „Des Burschen Heimkehr" den Knippelius spielte. Der erste Datterich war also nur 25 Jahre alt; Nötel starb am 21. März 1889 in Wien, er war Bühnenschriftsteller und Regisseur am Burgtheater geworden. Im Chausseehaus wurde am 23., 24. und 30. August 1862 unter seiner Regie „Des Burschen Heimkehr" aufgeführt, und auch da heißt es „zum Erstenmale" – was das „Erstemal" bei „Datterich" fragwürdig macht. Ein Dialektstück braucht Darsteller, die mit dem Dialekt aufgewachsen sind. So haben sich mit Recht theaterbegeisterte Laien, aber geborene Darmstädter schon früh der Stücke Niebergalls bemächtigt: zunächst der 1844 gegründete Gesangverein der „Melomanen", dessen Aufführungen von 1903 an von Hermann Knispel (1855–1919), dem Chronisten des Darmstädter Hoftheaters, geleitet wurden; ab 1925 die bei ihrer Gründung vom Landestheater-Intendanten Ernst Legal geförderte „Hessische Spielgemeinschaft". Hermann Knispel leitete auch die erste Aufführung am Darmstädter Hoftheater, am 7. März 1915; zum erstenmal spielte der damals 48 Jahre alte Eduard Göbel den Datterich. Göbel, zehn Jahre später Mitbegründer der „Hessischen Spielgemeinschaft", prägte als Regisseur und Darsteller das Darmstädter „Datterich"-Bild für drei Jahrzehnte; er starb 1945. Nach dem zweiten Weltkrieg spielten in Darmstadt Emil Thomas, Willi Umminger, Alexander Helfmann, Robert Stromberger und Joseph Offenbach den Datterich. Im Fernsehen waren Joseph Offenbach 1963 und Johannes Schauer 1972 als Datterich zu sehen. Ein Kuriosum ist eine Funkfassung, hergestellt von dem Darmstädter Journalisten Kurt Heyd, gesendet 1950 vom Hessischen Rundfunk: mit dem Kritiker K. H. Ruppel, Frau von Schauroth, dem Dramaturgen Alexander Bopp, dem Literaturwissenschaftler Hanns W. Eppelsheimer, dem Schriftsteller Dolf Sternberger, dem Schriftsteller Kasimir Edschmid, dem Datterich-Zeichner Hartmuth Pfeil, dem Datterich-Verleger Gerhard Roether. Solche Laienleser finden sich in Darmstadt immer wieder. Der Darmstädter Hoftheateraufführung (am 7. März 1915) zum hundertsten Geburtstag Niebergalls war das Frankfurter Schauspielhaus am 16. Februar 1915 zuvorgekommen; zu den späteren Frankfurter Datterich-Darstellern gehören Oskar Ebelsbacher, Franz Schneider und Joseph Offenbach. Schon am 22. April 1915 gab es eine „Datterich"-Aufführung in Berlin, im Lessingtheater, mit Max Adalbert in der Titelrolle; im selben Jahr folgte in Berlin der Verband der Freien Volksbühne mit Carl Forest als Datterich, mit Theodor Loos als Schmidt und Käthe Haack als Evchen. Zu den späteren Berliner Datterich-Darstellern gehören: Eugen Klöpfer, Josef Sieber, Theodor Loos. Der in Darmstadt geborene Schauspieler Wilfried Seyferth hat die erste authentische „Datterich"-Aufführung in Berlin inszeniert, 1941, im Deutschen Theater, mit Theodor Loos. In der Jubiläumsaufführung zum fünfzigjährigen Bestehen der Hessischen Spielgemeinschaft am 11./12. Oktober 1975 spielten im Großen Haus des Staatstheaters Darmstadt: den Datterich: Robert Stromberger (der auch Regie führte); den Dummbach: der Schauspieler Günter Strack; den Spirwes: der Lokalchef des „Darmstädter Echo" Klaus Schmidt; den Bennelbächer: Verleger Jürgen Roether; die Lisette: Kammersängerin Erika Köth; die Polizisten: Oberbürgermeister Heinz-Winfried Sabais und Intendant Günther Beelitz.

Entdecker, Kritiker, Ruhmredner

Georg Fuchs: Landsmann Mephisto

Dieses Lustspiel („Datterich") ist das bedeutendste Werk, welches uns der allzu jung dahingeraffte Dichter hinterlassen hat. Sagen wir es gleich: es ist auch eines der bedeutendsten Lustspiele der deutschen Literatur überhaupt. Die seltsame Tatsache, daß es bis zu dieser Frist nur von wenigen in seiner ganzen Größe anerkannt und in der offiziellen Literaturgeschichte überhaupt nicht beachtet wurde, findet ihre Erklärung in der einsamen Stellung des Stückes. Nur allzu leicht verwechselt man Kritik mit Katalogisierung. Was nicht in die etikettierten Schubfächer und ästhetischen Schachteln paßt, wirft man, zumal in Deutschland, gewöhnlich rasch bei Seite. Was man nicht rubricieren kann, das sieht man als ein Neutrum an: Lokalposse – weg damit! Die Komödien des Aristophanes sind auch nur „Lokalpossen". Das Stück ist eine Tragikomödie von so genialem Humor, so tiefer, sicherer Schöpferkraft und Erfassung der menschlichen Seele, von so intensiver Stimmungsgewalt des Milieus und so starker Realistik, daß es aus dem poetischen Kreise seiner Zeit wie ein Wunder hervortritt. Man mag als gewissenhafter und mißtrauischer Kunstpsychologe und Literarhistoriker hin- und herprüfen und vergleichen wie man will, alles heranziehen, was dem Dichter im gleichen poetischen Genre bekannt gewesen sein kann, von der antiken Komödie, vom Don Quixote und Falstaff bis zu Molières, Lessings, Kleists und Tiecks Lustspielen und man sieht sich am Ende doch gezwungen, hier eine Dichterkraft von genialer, unbeirrter Eigenart anzuerkennen. Merck ist bekanntlich das Urbild des Mephistopheles. Es ist durchaus nicht zufällig, daß diese gewaltigste Schöpfung deutschen Humors aus Darmstadt stammt, daß Mephistopheles ein Landsmann Datterichs ist.
(Georg Fuchs im Vorwort zu den von ihm herausgegebenen „Dramatischen Werken" von Ernst Elias Niebergall, Verlag von Arnold Bergstraeßer, Darmstadt, 1894.)

Richard Moritz Meyer: Fast

Der Datterich ist wohl unzweifelhaft das genialste Lokalstück Deutschlands, und die Energie, mit der der Darmstädter Lokalton bis in jede Einzelheit durchgeführt wird, ist nicht minder bewundernswert als die Kraft der Charakterzeichnungen. Die Handlung borgt, wie in allen diesen Stücken, sorglos Motive aus der ältesten Tradition bis zum mittelalterlichen Schwank vom Advokaten Pathelin. Wie aber der Autor für seinen verlumpten Helden Sympathien zu erwecken weiß, die die Welt der philiströsen Biedermänner fast ins Unrecht setzt, das nähert in der Tat den übermütigen Schwank fast der Charakterkomödie, ja dem zeitgeschichtlichen Drama.
(Richard Moritz Meyer in „Die deutsche Dichtung des neunzehnten Jahrhunderts", Berlin, 1900. Zum erstenmal wurde Niebergall in einer Literaturgeschichte behandelt.)

Alfred Kerr: Verkommenheits-Engel

I.
Im Gedenken an diesen oft entzückenden, oft nur zulänglichen und oft nur zu länglichen Abend bietet sich der Anlaß, eine altwehmütige Vertrautheit mit Niebergall unter der Hand so beiher durchblicken zu lassen. Gewissermaßen: mein Niebergall, unser aller Niebergall, jener bekannte Niebergall . . . Ich habe jedoch Donnerstag früh noch wenig von ihm gewußt. Nichts zu wissen ist eines jener Mittel, wodurch man sich die Ursprünglichkeit seines Handelns rettet. Ich will darum nicht so tun, als wäre Niebergall ein (bloß bisher nicht aufgeführter) Bestandteil meines ganzen Denkens und Fühlens gewesen. Ich erfuhr vielmehr (den Dingen in die Pupille glotzen! die Wahrheit äußern!) durch Nachschlagen erst gestern, daß er kaum neunundzwanzig Sommer alt geworden ist. Schade. N. verschied 1843. Ich ermittelte durch Wälzen, daß in des Gestorbenen Bett Flaschen versteckt gefunden worden sind; er war anscheinend mächtig hinter dem Schabau her. Dies alles weiß ich seit Donnerstag.. Ein Professor hat gesagt: „Wenn ich mich über einen Mann unterrichten will, schreibe ich ein Buch über denselben." Es kann auch eine Kritik sein. Aber man muß es sagen.

II.
Jener bekannte Niebergall ist zweifellos ein Kerl gewesen. Die Gewißheit bekommt man durch folgenden, unter keiner Bedingung trügenden Versuch: man zieht das Mundartliche seines Stücks ab – und fragt, was nach dem Abzug bleibt. Was von Wert für alle. Was von gemeiner Geltung. Der Datterich bleibt. Die Hauptgestalt. Der Mensch in der Mitte. Dieser Entgleiste, Geschaßte, Vormalige – dieser nun erst ganz Erdensohn gewordene Süffel. Er hat mitunter was bestürzend Lebenstreues . . . in seiner dringlich stumpfen Frechheit: als ob ein Sinn abhanden gekommen (ein andrer verstärkt) wäre.

III.
Der Bursche zeigt was Verglastes, wo das Taktgefühl zu sitzen pflegt. Wundervoll! Mancher (beobachtete, wahre) Zug erschüttert einen zwar nicht . . . aber man ahnt, wie wenig dazu fehlt. Hinter allem spürt man die bittre Kenntnis der Gesunkenen. Richard der Zweite. Es dämmert ein Kater und ein Seufzerich. Nicht bloß über das eigne verdient schlechte Schicksal des Helden. Sondern über das unverdient gute Schicksal der Sonstigen. „Behandelt jeden nach seinem Verdienst – und wer ist vor Schlägen sicher? " So geht es zu.

IV.
Ein Nepper und ein Nassauer, . . . doch mit seinem Seelenklang leuchtender, mit seiner Frechheit beglückender als die Welt herum. Die Ordentlichgebliebenen sehnen sich nach seiner beflügelnden Gemeinheit. Ein Verkommenheitsengel schwebt über dem Dunst. Bildhaft bleibt es, wie er die Karten aufhaut. Wie er schwadroniert in der Gaststube. Wie er den Kampf ums tägliche Dasein übersinnt. Wie er morgens im Bett gegen Gläubiger nicht anders ficht als Arnold Struthahn von Winkelried. Wie er Irresein heuchelt, einem Handwerksmeister „Hulda!" zuruft, einen Lehrling einschüchtert . . . Und wenn er im Freien mit der Botanisiertrommel auftritt, aber-

mals auf Andrer Kosten säuft, Menschen benutzt, Menschen kennt – so scheint er unter Menschen, der Abgelehnte, wie ein Liebling; wie ein Sonntag; ja, wie der bessere Grad dieses Erdenwallens.

V.
Wie muß das in der Mundart einstens gewirkt haben – auf Solche, die sie kannten; von Solchen, die sie konnten. Hessisch-Darmstädtisch-Frankfurtisch ist, für mein Gefühl, ein unwiderstehlich-drolliges, kostbares Platt. Stoltze fliegt so hoch über zehntausend Jambendichtern mit seinem frankfortischen Geschwabbel wie der Datterich über unfesselnden Kleinbürgern. Wenn ich Stoltzes Gedicht von dem durchreisenden Schiller, der ohne Geld war, vortragen höre, bin ich mehr durchwühlt und gerüttelt als durch sämtliche Schicksalstragödien. Und die süßesten Sprachlaute, die ein Ohr bei uns hören kann, sind wahrscheinlich nicht von Goethe, nicht von Schiller geschrieben: sondern von Klaus Groth.

VI.
Die Mundart, das Rotwälsch, die Alltagsmusik, der himmlische Einschlag des Pöbelhaften bleibt fast unberührt vom Wandel der Zeit. Redet, wie man nicht reden soll – und ihr werdet unsterblich. Sprecht, wie zu sprechen ihr euch schämet, und ihr kommt ins Paradies.
(Aus der Kritik, die Alfred Kerr nach der Berliner Aufführung des Datterich am 24. April 1915 veröffentlichte.)

Kasimir Edschmid: Dialekt-Tragik

Ich setze diese (zu seiner Säkular) geschriebene Zeilen hierher, um Niebergalls Andenken zu retten. In seiner Heimat streiten Pastoren und Pollissons, ob er als versoffene Unke oder gleisnerisch und im Gehrock sehr früh die Jagdgründe vertauscht habe. Seine Tragik ist aber, daß diesen Schaffer des stärksten Dialektgeballs zehn Stunden hinter seiner Vaterstadt kein Mensch und keine Rübe mehr versteht. Er wollte das größte und hat (immerfort) das kleinste Publikum. So deutsch schrieb kaum je einer, es ward aber (den anderen) chinesisch. Er war ein armer Kerl, vor dessen Werk die Zeit ihre Ironie exerzierte. Er soll im Angedenken nicht verloren gehen.
Kann etwas leichter sein, als mittags, das Gesicht gegen den Himmel schwebend, zu liegen. Zwischen Himmel und Gesicht hängt das Glasdach eines Ateliers. Kann etwas leichter sein, als daß Märzgewitter klingend darüberspielen. Hagel auf dem Dach sich zerhaut, der aus dem Imaginären kommt und mit einem Mal ganz nahe wie ein Tier in wütendem Bündel gegen das Gesicht stürzt. Aber das Glas schwebt ihm entgegen, leicht und glänzend, und das Eis zerknackt sich an ihm mit klirrendem Anprall. Es lautet, als beiße der Hagel sich toll die Zähne aus und unser Gesicht liegt lächelnd darunter. Gewitterschläge schwingen und stehen überall in der Luft. Regenbogen laufen über das Kristall des Atelier, einer Blase von Glas

gegen die süße Wut der Gewitter aufgebeult und mit einem Male dann wieder lichter Ballon und breiter Schmetterling in seidiger Sonne schwimmend, von strahlendem Himmel gehalten. O Leben unserer beiden hessischen jungen Dichter, das diesen Tagen glich wie ein Tanz einem andern und jeder kurze Rausch den ungeheuren Räuschen dieses Seins. Georg Büchner, erster und liebster der Darmstädter Dichter, dessen Kunst ein zuckendes Tremolo von Faustschlägen war über einem schlanken Stück Jugend, und der aus der fabelhaften Explosion seines vierundzwanzigsten Jahres wie ein metaphysisches Projektil in rasende Unendlichkeiten geschleudert wurde. Und dann, Genosse seiner Stadt und Zeit, trunkener Bruder seines maßlosen Suchens, stiller und seßhafter Mensch, Ernst Elias Niebergall, Hauslehrer und Theologe, immer gefüllte, nie zerplatzende Petarde im sonntäglichen Raum der kleinen Stadt, aber immer geschwellt und ewige Drohung, auf einem schmalen gezäunten Steg Leben lavierend, manchmal von Räuschen überschaukelt, taumelnd durch Wein und Bürgertum, und im achtundzwanzigsten Jahre sanft hinausgeschoben über die breite Dürftigkeit des Lebens, das mit groteskem Schweigen und wahnsinniger Komik gefüllt war bis zum obersten Rand. In Darmstadt heißen sie solche, die mit neidisch-verkrampften Fingern gierig und bebend nach dem Glas haschen, ehe es noch die Tischkante berührt, deren Hände tanzen den ganzen Tag vor zitternder Sehnsucht und die sich erst beruhigen im Griff des Römers, solcher Leute Zustand heißen sie Datterich. Ernst Elias Niebergall hat seine verschwiegene Tragik, seinen unheimlichen Humor, in ein Stück hineingeschrieben, dessen Mittelpunkt, Helden und Partikulier er Datterich nannte. So heißt auch das Stück, das zu herrlich war, als daß man es über hundert Jahre hätte vergessen können. Es kann sein, daß man das Stück sieht fünfmal, fünfmal in vier Wochen, es kann sein, daß das Falsett begeisterungsfähiger Weiber in Lerchentönen schluchzt, das Herz muß folgen, denselben Takt, denselben Takt. eit,

Hier schwankt das bürgerliche Leben in jeder Breite voll Tollheit, Dürre, klebend, aber wundervoll in allen Gängen bewegt gleich einem rasch durchhauenen Ameisenbau in der Vielheit der Gestalten hin und her. Luft vom Anfang vorigen Jahrhunderts, dick und bleischwer, weht mit Figuren belebt, die taumeln. Niemand kennt mehr diese Butzenscheiben und guten Stuben und blankgefegten Dielen der Kneipen, die das Geschehen der Dinge, diese Menschen einschließen. Überall hier kämpfen Außenseiter des Bürgerlichen den uralten Kampf ihrer ewigen Legion gegen die starre Barrikade der kleinen Stadt. Typen, Typen, Typen . . . es ist unsäglich, Saft, Blut, aufspritzende Kraft, trunkenstes Sein . . . das Leben ist zu rund, ist zu massiv, als daß es töten könnte. Wie Geigenstriche rennen die Streiche der Kneipenhocker über die biedere Physiognomie der Stadt. Ihre Sprache hat eine Gedrängtheit von lapidarem Humor, ihre Geste hat das Groteske des Tragischen, ihre Hose die Seßhaftigkeit der langen Nächte und des gering gebliebenen Horizonts. Aber in der nichts Weites und Glühendes gewohnten dürftigen Enge ihrer Seelen und Gesichte heult mit dunkler Ewigkeit die klingende Fronde. In ihren Herzen vagabundiert die Endlosigkeit der Welt, während sie skaten und saufen. Ihre Lüge ist Geistigkeit, ihre Kehlen, die strotzend voll Musik liegen wie die Bäuche der Baßgeigen, legen jedes Wort hin wie einen Stein, so fest, und fassen alle Sachen ihres gewöhnlichen Lebens in Worte von ungewöhnlichster Gewalt. All ihre Anstrengungen scheinen nur Kämpfe gegen Kellnerinnen, Schuster, Vorstöße gegen Beamte, Metzger, Barone, aber im tieferen Grunde ist es gegen die unerhört schöne Borniert-

heit des schlechthin Bürgerlichen der Anprall der heißen Welle der Phantasie. Zwischen den großen Fugen liegen die kleinen Entreakte von Liebeslauten gelispelter Derbheit, Dueller der Drechsler, Politik im Mikrokosmos des Weindorfs, nächtliche Parke und Philomelen, von bourgoisen Blicken gestreichelt, bourgoisen Rahmen eingeordnet und doch in einem tollen Wirbel darüberhinaus sich hängend wie schwere Goldreinettes über Landschaftswegen. Manchmal aber fällt alles in einen bacchantischen Strudel des Geschehens, der Rede, der mitlebenden Szene. Worte fallen, platzen. Gesten explodieren, die gefesselte Seele des Stücks entzündet sich über die Enge des spießerischen Raumes hinaus, brennt immanent dem Milieu, strahlt von innen, glüht, johlt, die Szene biegt sich wie unter dem Gestampf eines schweißig ringenden Paares, die Bühne birst vor der Kraft und steht am Ende dampfend da und erledigt von der Wucht des Gewesenen.

Durch den unermeßlichen Strudel in Emotion gebrachter und glühender bürgerlicher Weltatome aber schwingt sich wie ein Sommermond schön, tragisch, toll und hundsföttisch die Figur des Datterich. Er hält gleich einer überlegen parodierenden Gerechtigkeit die sechs Bilder des Stücks in seinen Händen, doch sie werden seinem Gleichgewicht zu schwer und ziehen ihn nach der Seite und lassen ihn eine Weile in hellen Zirkusrädern hinrollen, bis er in einer Minute neuer Balance in eine große Pose zurückfällt. Am Ende schlägt sich das Stück mit allen Agierenden in einem bunten und prachtvollen Rad noch einmal vor ihm auf und er hält Abrechnung mit der Welt, den Kopf in den Nacken gelegt, die Hand leis bewegt von oben nach unten. Er ist überlegen in allem Angeborenen und vom Blut Bedingten, himmlischer Gegenpol des Städtischen, Verschwisterten, Engzusammengebauten, siegreich, glänzend, allein. Kurz darauf aber jagt ihn am letzten Horizont des Stücks die harte Realität eines Fußtritts aus der Bahn. So schwenkt auch hier in einer höheren Bedeutung der tolle Kreislauf des Lebens den Helden in einer entzückenden Miniatur aus dem Hochgefühl in die Beschämung, denn es ist gut und recht so, daß ein Wechsel sei.

Datterich ist alles, was das Leben schön macht: er ist Romantik, ist geistvoll, ein Schwein, verkommen, voll boshafter Lyrik und pragmatischen Sentiments, Filou, brennend vor Unternehmen, ein Hund, voll Ehre bis unter den Fingernagel, ohne Geld und das Leben wie auf einem Karussell mitfahrend, auf dem Gelage, Wind und Abenteuer ist. Seine Gestalt erscheint komisch und heldisch, aber unethisch am Ende, weil sie alles hat, nur nicht das letzte und trübste Requisit des Nichts-Als-Bürgerlichen: Güte aus Sentimentalität. Durch das Transparent von Spießigkeit und feineren Weinen ist er ein Fenster auf die tragische Narrheit des Lebens, das leichter und klüger scheint wie das der Bouffons des Briten und vor allem – viel zu massiv als daß es töten könnte.

Schneidet man ein Filet von gutem Ochsen, rasch auf heißestem Rost gebraten, blank auf, läuft der Fleischsaft hellrot heraus. Das ist die Sprache des Stücks, Dialekt, Darmstädtischer, stumpfer, modulationsloser wie der des Elsaß, mehr in allen Kapriolen der A und O aufsteigend und fallend, nicht schillernd, unmusikalisch, aber schwielig und breit und ungeheuer spießisch, derbblutig, doch ohne Elan. Und wie das klingt . . . und drüber hinaus, wie die Drähte laufen vom Lokalen zum letzten Seelischen und vom Dialekthaften plötzlich ins bitter Schmerzende und um alles schließlich Funken der großen Fahrt aufsprühen in der rasenden Bewegtheit, der latenten Seinsrealität in allem Fließenden . . . wie die Sätze jagen, Schlag um Schlag, Schläuche

gefüllt mit Drastik, Urtum, Bauernhaftigkeit und derbem Leben . . . wie das Ganze so muskelhaft ist, daß es die besten Spieler unserer Zeit mit den redlichsten Darstellungen nicht verhunzen können – man muß das sehen, es ist mit der verzweiflungsvollsten Wucht noch immer nicht zu sagen.
Daß das Stück Lokalposse heißt, ist eine Bescheidenheit, die sich nach sechs Sätzen von selbst auffrißt. Denn hebt man das kriwwelnde Gehäuse tiefsten Bürgertums unter eine rasche Lupe, stürzt in einem jähen Aufrauschen die Welt mit größtem Geschehen unter das Glas, und mit einer schreckhaften Blässe erkennen wir keine Gebundenheit mehr an Zeit, Ort und Sprache, sondern alles Zierliche und Kleine hängt mit einem Male in ungeheueren Dimensionen mit gewaltigen Mäulern schluckend und saufend an den breiten Mutterbrüsten der obersten Welt.
Ernst Elias Niebergall wurde geboren Achtzehnhundertfünfzehn und starb mit achtundzwanzig Jahren. Neben anderem liebte er Wein. Auch war er nicht ohne europäische Gefühle.
Kann etwas leichter sein, als an Dichter denkend, mittags, das Gesicht gegen den Himmel schwebend, zu liegen. Zwischen Himmel und Gesicht hängt das Glasdach eines Atelier. Märzgewitter stehen wie wilde Hummeln über dem seidigen Blau im Horizont.
(Kasimir Edschmid, Die doppelköpfige Nymphe, Berlin, 1920.)

Karl Esselborn: bürgerlich

Den nachhaltigsten und bestimmendsten Einfluß auf seine Entwicklung übte seine Geburtsstadt Darmstadt aus. Er hat von deren Kleinbürgertum zu seiner Zeit so lebenswahre, charakteristische, humoristische und zugleich wieder gemütvolle Schilderungen hinterlassen, daß sie mit den Bildern eines Karl Spitzweg verglichen werden können. Er ist Darmstadts erster Lokaldichter geworden nicht nur der Zeit, sondern auch dem Range nach. Zum erstenmal hat er „die Mundart der Darmstädter", wenn man von dem r-los sprechenden Darmstädter Gerichtsakzessisten Servatius in Karl Malßens 1834 erschienener Frankfurter Lokalposse „Herr Hampelmann im Eilwagen" absieht, literarisch angewendet und gleich auf Anhieb mit einer Sicherheit und Meisterschaft, die seitdem niemand wieder erreicht, geschweige denn übertroffen hat. Dabei haben seine Lokalstücke nicht nur eine örtlich begrenzte Bedeutung. Freilich mußten hundert Jahre nach der Geburt ihres Verfassers verfließen, bis sich diese Erkenntnis allgemein durchrang und seine beiden Stücke, die bis dahin nur in Darmstadt, Gießen, Friedberg und vielleicht noch an einigen andern hessischen Orten von Liebhabern aufgeführt worden waren, sich das deutsche Theater eroberten und den Beweis erbrachten, daß man nicht mit Woogswasser getauft zu sein brauche, um sie als Ganzes genießen zu können. Wie Niebergall selbst sind sie aus dem Darmstadt der Biedermeierzeit herausgewachsen.
(Karl Esselborn, Ernst Elias Niebergall, sein Leben und seine Werke. Darmstadt, 1922.)

Karl Holl: Optimistisch

Niebergall dringt ins Innere. Der daseins- und hoffnungsfreudigeren jungdeutschen Generation angehörend, ist er erfüllt von ihrem Optimismus und vermag sich deshalb über das Elend der Gegenwart zu erheben, um von oben her humorvoll zu lachen, nicht ohne sich selbst in dies Belachenswerte einzubeziehen, da er trotz Hypochondrie und körperlicher Gebresten seelisch gereift ist. Er erreicht daher den Lustspielstandpunkt des echten Dichters. „Des Burschen Heimkehr oder der tolle Hund" (1837) atmet noch Malßschen Possengeist, sein „Datterich" (1841) jedoch ist das beste realistische Dialektlustspiel, das bis dahin die deutsche Literatur hervorgebracht hat. 23).

(Karl Holl, Geschichte des deutschen Lustspiels. Leipzig, 1923.)

Karl Wolfskehl: Darmstädter Nationalgesichter

Der Darmstädter tritt, und zwar sofort er selbst, nur sich selber gleich, „fertig aus dem Nichts" auf die Heldenbühne des deutschen Geistes. Welch eine Gestaltenreihe hebt nun an! Wir haben sie hier nicht vollzählig namentlich aufzuführen, auch nicht festzustellen, womit und wie tief Darmstadt in seinen Söhnen auf das deutsche Werden eingewirkt habe, was alles den Lichtenberg, Merck und Stürz – so hieß er! – im 18., was den Büchner und Niebergall, den Liebig, Gervinus, Max Rieger, dem kühnen Wilhelm von Plönnies und so vielen anderen im 19. Jahrhundert verdankt werde. Wir fragen uns einzig, was ist all diesen Köpfen gemeinsam, bilden sie geheime Bruderschaft, sind sie mit einem Wort echte Darmstädter? Und rücken wir näher heran, die Rhythmik ihres Wesens zu erkunden, so finden wir allerdings über und in all diesen vielen Gesichtern das eine unverwüstliche Urantlitz, geknetet aus Klugheit und Skepsis, aus Wärme und Trockenheit, aus Spottlust und gutem Herzen, innerlicher Freiheit und Biedermannstum, Eifer und Verträumtheit: man findet den überlegenen Deklassierten, den Datterich, dies Monumentalbild der Darmstädter Selbstironie.

Als Datterich tritt der Darmstädter bescheiden, aber selbstbewußt neben jene großen dichterischen Typen der europäischen Welt: Don Quichote, Falstaff, Eulenspiegel, die als „nicht mehr und noch nicht", zwiefach beleuchtet, Kinder einer Kultur und einer Zeit, die sich gerade verabschiedet, den Mitlebenden ein behagliches Gelächter, den Nachlebenden eine oft erschütternde Wahrheit, durch die Jahrhunderte bestehen bleiben. Niebergall, der Schöpfer der Datterichfigur, hat dem durch die Welt verbreiteten Typus des innerlich stets obsiegenden kleinen Mannes, wie er in allen Farben schattierend sich an der festen, ihm unzugänglichen Wirklichkeit stößt, ohne zu verbluten, dem äußerlich seiner Lebtage gedrückten oder gehetzten oder beiseite geschobenen, diesem kleinen Manne hat er das Darmstädter Antlitz, das Darmstädter Format, die Darmstädter Weise zu reden, zu trinken und – hinausgeworfen zu werden, geschenkt. Seit Niebergall weiß man fast nicht mehr, ob bis ins Sprachliche hinein das Darmstädtische den Datterich oder der Datterich das Darmstädtische geformt hat und weiterbildet. Wie eminent darmstädtisch diese Figur ist, empfinden wir an seinem fast gleichzeitigen Gegenspiel, Büchners Woyzeck.

Im Grunde ist dieser vom selben Schlag, derselben Wesenheit, naturhaft und frisch, fremd und hilflos vor der Außenwelt, innerlich aufrecht, ja souverän, aber bei ihm ist alles ins Negative, ins Geduckte, ins Gedrückte gezerrt und verklemmt! Der freudlos Knirschende, der Ausweglose. Gleiche Landschaft, ganz und gar veränderte Seelenluft. Woyzeck also, der geknuffte kleine Mann: Ausdruck und Vorbild einer Zeit, die immer losbrechen möchte. Datterich, der genüßliche Einzelgänger: Ausdruck und Urbild eines Raumes, der schlechthin da ist, wie es auch ergehe, und eines Menschentums, das seine Sache vielleicht auf nichts, jedenfalls sich außerhalb von allem gestellt hat, was es vorfindet, was es bereits gibt. Gewiß ist es den berühmten Darmstädtern (außer, wie es sich gehört, im „Städtche" selbst und bei ihren verehrlichen Landsleuten) oft gar nicht schlecht gegangen in Welt und Leben. Jedem von ihnen haftet aber, worauf es hier allein ankommt, ein Stück innerlichen Outsidertums, Datterichtums an, eine Unfähigkeit oder Unwilligkeit, Charakter, Meinungen und Neigungen ins jeweils Gebräuchliche abzustimmen, eine innerliche Freiheit und Selbstgenügsamkeit, die sich oft wie bei Liebig, Lichtenberg und Büchner zu wirklicher menschlicher Größe auswächst, in jedem Fall aber sich nichts anhaben lassen will und bis zur sonderlingshaften Verkauzung die eigene Art bewahrt.
(Zuerst veröffentlicht in der „Frankfurter Zeitung" vom 18. September 1925. Entnommen Karl Wolfskehl, Gesammelte Werke, Hamburg, 1960.)

Wilhelm Michel: Datterichs Abstammung

Datterichs Sprache ist Darmstadts Sprache, und tief sitzt sein Charakter im Wesen jedes Darmstädters; nicht so, als ob er sich darin mit allen Einzelheiten wiederholte, doch so, daß bis in die erlauchtesten Bekundungen darmstädtischer Menschenart, bis hinauf zu Lichtenberg, zum Kriegsrat Johann Heinrich Merck, zu Peter Helferich Sturz, zu Liebig und Gervinus der kritische Verstand, der phantastische Witz, die groteske Laune, die fabelhafte Geistesfreiheit des Datterich spürbar werden.
Verfolgt man die Linie, auf welcher der „Datterich" steht, weiter zurück, so trifft man früher oder später auf das volkstümliche Puppenspiel und seine Gestalten, auf Hanswurst, Kasperl, Pierrot. Man trifft auf die Helden der großen Schelmenromane, auf Till Eulenspiegel, Münchhausen, Schelmuffsky, auf Don Quichotte und Sancho Pansa (die beide im Datterich verbunden sind). Man trifft endlich auf den volkstümlichen Mimus der alten Welt und zum Schluß wohl auf die uralten Spiele und Maskentänze zu Ehren der Naturgeister, der Fruchtbarkeitsdämonen göttlicher und halbgöttlicher Art. Überall da handelt es sich um das „untere", um das breite, erdhafte und geschöpfliche Leben, das wenig von Moral und desto mehr vom derben Lebensgenuß weiß, das über alle feindlichen Mächte triumphiert mit der großartigen Waffe seines Humors.
Wenn es auch so scheint, als ob der Datterich zum Schluß unterliege, – laßt euch nicht täuschen! Er hat doch gesiegt. Zwar ist er die Treppe hinuntergeflogen „wie en Schatte", und die braven Leute, der Karl Schmidt und seine Braut samt Schwiegereltern sind endlich unter sich. Aber alle spüren, wie sie die Gläser heben, daß die ganze schöne Verlobungsfeier nichts ist ohne Datterichs Gegenwart. Und mit diesem Bedauern ist er insgeheim wieder siegreich unter ihnen, den ordentlichen Bürgers-

leuten, die eben doch wissen, daß der Datterich mitten in seiner himmelschreienden Unmoral ihr eigenes Leben, ihr Festsein gegen Tod und Teufel, repräsentiert. (1940)
Mephisto ist ein echter Darmstädter. Er ist die Steigerung des Datterich ins Metaphysische, gerade wie man diesen scherzhafter Weise als eine dialektische Trübung des Mephisto ansprechen könnte. (1925)
(Aus Wilhelm Michel: „Datterich und seine Ahnen", 1940, und „Das literarische Darmstadt der Vergangenheit", 1925. Zitiert nach Wilhelm Michel „Gewalten des Geistes", herausgegeben von Otto Heuschele, Heidelberg und Darmstadt, 1959.)

Ernst Bloch: Bittere Heimatkunst

Er ist eine kleine Sonne, die unter Spießbürger verschlagen wurde und nichts unter ihnen sucht als möglichst viel Wein. Er ist ein Quell von Lumperei und Freiheit, der durch lauter Muff fließt, ein kleines Raubwesen, das auf keinen grünen Ast kommt, aber ganz fern noch die Dickfelligkeit der Kinder Gottes um sich hat. Sein Typ ist sanguinisch und der Wein ist seine Heimat (nicht nur sein Trost); (. . .)
Aber der Schluß des Stücks ist traurig, da merkt man, was eine kleine Sonne ist, wenn sie hinausgeflogen ist; der Metzger Knippelius merkt es, der allerdings ein verbummelter Student war und sich auf arme Götterfunken versteht, auch im Schlafrock und als Säufer. Die Personen gruppieren sich, das Brautpaar in der Mitte, die Eltern zu dessen Seite, die Biedermeier sind unter sich und der Datterich endlich hinausgeworfen, da sagt eben der Knippelius: „Schadd, daß Ahns beim Hochzeitsschmaus fehle muß"; Dummbach: „Ich wißt net, wer"; Knippelius: „De Datterich". Weiß der Regisseur, wie Knippelius das letzte Wort zu sprechen hat, so weiß er, wie er den Datterich zu inszenieren hat. Nicht gemütlich oder gar wie aus den „Fliegenden Blättern", sondern als bitteres Zeitbild von kleinbürgerlichem Druck mit Datterich darin, einem wackligen, aber durchaus nicht weichen Freiheitsstrahl. Das Einzelne wie das Ganze natürlich äußerst lustig; das Lachen versteht sich bei so viel Vorstadttheater von selbst.
Ein Zitatbuch aus der anspruchslosesten Hundeperspektive; aber sie wird dem Alltag besser gerecht, und der gedrückte Volkswitz ist scharf. Vor allem, wenn er in dem frechen Maul des Datterich leuchtet; das ist eine bittere Heimatkunst, und man sieht, welche Zähne der Dialekt hat. Dem Datterich, dem gänzlich unnützen Original, zu ferienhaft zu jeglichem Bedarf, hätte Johann Peter Hebel einen Ehrenplatz gegeben neben seinen wertgeschätzten Zundelheiners oder Zundelfrieders. „So viel mir bekannt is, Herr Datterich", sagt Dummbach, „genieße Se in de hiesige Stadt und de umliegende Ortschafte net des best Renommeh, sondern erfreie sich eines iwwele Rufs". Schade, daß wir nicht mehr solche Helden haben, die keine sind; die Typen sterben aus oder werden erst sehr viel später wiederkommen. In jedem ist ein Bild dessen, was er werden soll: eine Prise Datterich fehlt den richtigen Bildern nicht.
(Aus „Bittere Heimatkunst. Zu einer Neuausgabe von Niebergalls Datterich", 1929. Zitiert aus Ernst Bloch, Literarische Aufsätze, Gesamtausgabe, Bd. 9, Frankfurt am Main, 1965.)

Paul Wiegler: Kleinstadtmisere

Unter den Mitschülern Büchners ist einer, der in der Kleinstadtmisere der hessischen Residenz verkommt und das Jakobinertum derer um Weidig nur als einen Esel mit phrygischer Mütze karikiert, der Humorist Ernst Elias Niebergall ...
(Paul Wiegler, Geschichte der deutschen Literatur, Berlin, 1930.)

Hans Schiebelhuth: Darmstädter Männer

DATTERICH

Der Genius als Phänomen genommen ist sich völlig selber eigen, ganz autonom. Da er nun aber durch den großen Menschen zu uns spricht, untersteht er den Gesetzen aller menschlichen Bildung: Landschaft, Menschenschlag, Kulturraum sind ihm Schicksal, bestimmen ihn und die Art seiner Äußerung. Der Genius Darmstadts geruhte einmal sich als Erz- und Urdarmstädter, als Nur-Darmstädter und Nichts-als-Darmstädter zu bezeugen: Es entstand der Datterich, das Monumentalbild der Darmstädter, totalste Selbstironie, der Kanon der Darmstädterei. Seitdem ist die Darmstädter Physiognomik bis in die Krähenfüßchen am Aug und die kleinen bittren Fältchen um die Mundwinkel bekannt, seitdem ist die Darmstädter Mimik und Gestik und Rhythmik bis auf den kurzen eigensinnigen Kopfschnick (halbseitswärts) und die einfache offene Handbewegung sichtbar geworden, seitdem ist der lokale Idiom so sicher und selbständig, daß kein Einheimischer mehr genau weiß, ob er den örtlichen Dialekt oder die niebergallsche Dichtersprache spricht, denn der Schnabel ist uns nach dem Datterich gewachsen, seitdem darf und soll und muß alles Lokale hier auf „Datterich" angeguckt, verstanden, gelobt, geliebt, ernstgenommen und belacht werden. Das hat nun aber nichts mit Tatterich, mit dem Herzbeben der Furchtsamen zu tun, sondern dieser „Datterich" ist ein Volksstück, das 1840 der geniale Ernst Elias Niebergall schrieb, der zu den Humoristen zählt; dazu ist, was er schuf, sprachliche Urtatsache und reine Dichtung, ja Eiferer sind soweit gegangen, den Datterich das beste deutsche Lustspiel zu nennen. Dem sei, wie es wolle, in jedem Fall ist es die bedeutendste deutsche Mundartdichtung, die die deutsche Literatur hat. Sie gehört in die große Kunstgattung des Mimus, die es zu allen Zeiten neben den andern klassischen Werkformen der darstellenden Dichtung (Epos, Tragödie, Komödie) gegeben hat, und die ältesten Zeiten, die alte Welt wie das „finstere" Mittelalter, sie alle haben vom risus mimicus, vom mimischen Gelächter gehallt. Der Datterich ist mitsamt den Kasperlespielen und den Kölner Hänneschen-Burlesken der rechtmäßige Erbe und direkte Engel mimischen Stammes. Die mimische Dichtung arbeitet immer mit stereotypen Figuren wie: Glücksritter, Hochstapler, Hanswurst, armer Teufel, Zechpreller, Gauner und ähnliche Trabanten. Datterich gehört seinem Wesen nach in diese Reihe, ist einer der unteren Dämonen, die Verleiblichung des bösen Prinzips, seine Charaktereologie hat eine fast mephistophelische Struktur, was Wilhelm Michel erstmals herausgearbeitet hat. Der „Datterich" ist das Heldenlied, in dem unsre großgegründeten inneren Siege und die Ursachen unsrer zahllosen äußren Schlappen besungen werden; er ist die Grammatik unsrer Eigenart, unsre physiognomische Fibel, unser charakterologisches Co-

dex, das Ruhmesbuch, in dem unsre Art in ihrer Größe, unsre Unzulänglichkeit und Gutherzigkeit, unser Lebensmut ein für allemal gültig niedergelegt sind. Wer sich zu Darmstadt bekannt, muß sich zum „Datterich" bekennen; Niebergall ist unser Humor, der Strunzer als Titelheld unser Ulysses. Er ist der Particulier, der böse Geist, ein Siebensortenlump, ein Kujon mit grauen Katzenaugen, ein ungehenkter Dieb, ein wahrer Zierrat für einen Galgen, ein Kalfaktor, ein Unheilskerl, der den Teufel im freien Felde fängt. Aber er ist mehr. Mit Recht sagt er von sich: „Ich bin besser als mei Ruf!" Er ist ein freies Elementarwesen, unbezogen, unbeziehbar; er hat eine so teuflisch ironische Art, universal und doch ohne Mitte zu sein; er ist souverän; er ist das Genie schlechthin auf schlechthin darmstädtische Weise. Stadtsatan und Stadtgenius in einer Person. Fraglos ist er ein Kassadengänger, ein Schandmaul, aber das ist gar nicht so wichtig. Er steht außerhalb von allem und die vielberedte Verwandschaft aller genialen Darmstädter mit dem Datterich erübrigt weitere Ausführungen. Man lese zwei oder drei Lichtenberg-Aphorismen, man schlage nach, wie Goethe seinen Freund Merck im 12. Buch von „Dichtung und Wahrheit" schildert, man lese in Gervinus „Lebensbeschreibung" nach, wie ers um 1820 in Darmstadt trieb, oder gar in „Leonce und Lena" von Büchner – die Datterichzüge sind unverkennbar und wem sie nicht auffallen, muß mit Blindheit geschlagen oder jeglichen Merksinns bar sein. Niebergalls Lokalposse, diese rechtmäßige Erbin und reinrassische Enkelin mittelalterlich mimischer Dichtung mit ihren stereotypen Figuren: Glücksritter, Hanswurst, Hochstapler, armer Teufel, Zechpreller und ähnlicher Trabanten, hat noch vier Nebenhelden, sie sind Datterichs Mit-, Gegen- und Ergänzungsspieler: Bengler, Dummbach, Spirwes, Knippelius. Alle vier sind richtige Darmstädter, echte Lokalgesichter, gültige menschgewordene Grundformen des Bodengeistes und Darmstädter Lebensluft. Der selbstsichere lokale Mannestypus erschöpft sich in ihnen; Varianten sind denkbar, weitere Grundformen nicht. Der fünfte Figurant ist kein Held, es ist der arglose Karl Schmidt, Datterichs zeitweiliges Opfer, ein ungeheuer lieber Mensch. Ein Ausbund an Ordentlichkeit, sauber, fleißig und sparsam; er hat viel von einem Musterschüler, so brav und arglos ist er. Dieser Schmidt – von Niebergall witzigerweise nicht als echter Heiner, sondern als Lapping eingeführt – ist der Darmstädter Jedermann. Selbstunsicher, ohne Würze, gutmütig bis zur Rührung, ein netter, honetter Herdenhammel voll sanfter Blödigkeit, zum Pantoffelhelden und Engel von Ehemann geboren, rechtschaffen, redlich; guter Kerl, goldene Seele und dummer Tropf in einer Person, aber ein Schläächtkopp, ein Waschlappen, ein Schuxhudel, ein Handoddel, ein Hambel und Hannebambel, ein Simpel, ein prägsamer Weichling, Wachs in den Händen anderer, einer, der die Welt nicht besteht, den das Leben unterkriegt, ein Un-Held, der sich nur dann behauptet, wenn der Unhold Datterich, der Teufel, ihn zu arg zwickt.

BENGLER

Bengler ist der Protagonist der Darmstädter Grobheit, ein Kloben, ein Zorngiggel, in Wirklichkeit ein Stück ungebrochener Natur, ein dröhnender Bulle, ein wilder Watz. Strotzend, knurrig, knorrig, knotig, grimmig, griffig, rechthaberisch und heischend, längst nicht so dumm, wie er aussieht, grob (nicht roh), gewalttätig, ungeschliffen; ohne feineren Witz, aber ganz und gar nicht humorlos. Er ist gradsinnig, praktisch, unverblümt, er ist wild, wüst, ungebärdig, schön in seinem Zorn und im Behagen seiner Rache; er ist der grollende germanische Berserker in kleindarmstädtischem Format. Er ist der einzige Darmstädter Typus, der „alte Kuh" sagt, wenn

er „alte Kuh" meint; alle anderen ziehen eigentlich die Wendung „weibliches Rindvieh ehrwürdigen Alters" vor. Merkwürdig ist, daß unter den Geistesgrößen der Darmstädter Welt nie ein Benglertypus erstanden ist. Man soll sich nicht einreden, daß die benglerische Art Mensch zu sein, sich nicht geistesgeschichtlich vertreten ließe: einer der größten, bedeutendsten Deutschen, nämlich Martin Luther strotzt von positiven benglerischen Eigenschaften. Unsre Großen von Sturz bis Wilhelm von Ploennies haben alle Witz, Takt, Anmut, Raumgefühl, sie sind alle höflich, beinah höfisch und zu feinsinnig, was den Bengler, den Berserker ausschließt. Man sehe sie an, eifrig sind sie alle, viele von ihnen können hassen, ja bis zum Selbsthaß kommen wie Merck, aber wenn sie wütend werden, spucken sie Galle, keiner schlägt mit der Faust auf den Tisch und donnert los, daß es eine Wohltat wäre. Ungebrochene volkstümliche Kraftkerle (Urviecher, wie der Baier sagt) sind sie nicht. Sie sind Rassepferde mit Mucken, eigensinnige Biester, Einzelgänger, den Pas der Hohen Schule beherrschen sie aus dem Effeff. Bei ihnen allen ist der Geist stärker als das Blut (selbst bei Wozzek!), ist die Vernunft größer als der Trieb. Bengler ist nur im Darmstädter Volk zuhause, in seiner Geistesgeschichte fehlt seines Wesens jede Spur. Der Bildner Niebergall hat ihn herrlich porträtiert, ein Selbstbildnis ist es nicht. Züge des Konterfeis trägt schon eher

DUMMBACH

und somit (neben seinen dummbachischen Privateigenschaften freilich) die Grundform des Darmstädter Originals vor. Er ist der Darmstädter Kauz, der Schrullenkopf, Haustyrann, selbstherrlich, voller Güte, von Milde und Nachsicht überfließend, der Schandmäuligkeit abhold, buchstabengläubig, ein Phantast und Besserwisser, ein Monstrum an Credulität, aber alles in allem: dieser besessene Zeitungsnarr ist das liebenswürdigste Original. Mitten in der gesellschaftlichen Bindung, ja, nur durch sie und in ihr denkbar, bleibt er ein Außenseiter, ein Einzelgänger, ein Vorbild an privater Freiheit und Selbstgenügsamkeit (solange er seine Zeitung hat, aber die hat er immer!), er ist unfähig und völlig unwillens, seine Gedanken und Gefühle der Umwelt anzupassen, Konjunkturen kennt er nicht, Opportunismus ist ihm unmöglich. Herrlicher Dummbach, Du echter, ehrlicher Sonderling. Du goldiger Schrullenkopf!

SPIRWES

Spirwes, der spröde Spötter, vertritt die großartigste Darmstädter Eigenschaft, die Trockenheit in Reinkultur. Die Darmstädter sind – durch die Bank durch – unpathetische Menschen. Zur Schwärmerei zwar neigen sie oft, aber die Pathetik, das hochtrabende Getu, die sentimentale Exaltiertheit geht ihnen gegen den Strich. Der Durchschnittsdarmstädter hat Phantasie, aber gegen die Schönrederei, die Phrasenhaftigkeit, die Geschwollenheit, das Sich-Aufplustern grenzt er sich streng ab. Der Darmstädter nimmt sogar ab und zu den Mund recht voll, er renommiert gern, die Renommisterei ist geradezu eine Form unsrer lokalen Aufgelauntheit . . ., aber ein pathetischer Darmstädter, das wäre ein weißer Rabe! Der Darmstädter ist trokken! Er liebt die Stimmung, nicht den Schwung. Dem Meister Spirwes, mag er sonst ein Luder, ein Mitteufel seines Freundes Datterich sein, ist diese Trockenheit Natur. Er ist der Unpathetiker schlechthin, so nimmt er auch nie seine Zuflucht zu der Äußerungsform, die wir Darmstädter statt der verfemten Pathetik pflegen, jener Seichtheit, die sich erst „Fransen ans Maul babbelt" und nachher sagt: „Was geww ich uff moi schläächt Geschwädds!" Er ist ganz sachlich, er bleibt immer bei der Stange; er ist nicht wortkarg, aber wenn er spricht, dann trifft er den Nagel auf den

Kopf, dann sagt er das Quintessentielle. Sein Humor äußert sich ganz anders als der seines Kumpans Datterich. Datterich serviert seine schlagfertigen Einfälle, er beglückt durch den garnierten, den eingewickelten Witz, er überreicht den Dolch im Blumenstrauß. Der Spirwes aber stichelt. Er hat ein warmes Herz, und – den kalten ironischen Seitenblick der skeptisch-klugen Beobachter, der Kliniker, der gutmütig Einsamen. Datterich ist Geistblume, Spirwes ist Bodensatz.

KNIPPELIUS

Fritz Knippelius heißt der studierte Metzgermeister, der dem Datterich die letzte äußere Schlappe beibringt, das heißt ihm zu seinem schönsten inneren Sieg verhilft. Er ist der Darmstädter Vollbürger in Person, großartig, ehrlich bis in die Knochen, nicht ohne einen Schuß Teufel, forsch, gewieft (d. h. auf dem „Qui Vive?" seiend), würdig, gesetzt, rund als Person, ein Staatskerl, ein Prachtkerl, ein Herz- und Kernkerl, ein ganzer Kerl, ein Kerl. Er ist gutmütig, aber nicht schläächt, er ist großmütig, voll Selbstgefühl, aber ohne Stolz, er erkennt keine falschen Werte an, für ihn gilt der Mensch, nicht der Titel; er ist hilfreich und findig, seiner selbst so sicher, daß er ohne Ironie leben kann; er hat das gütige Augenzwinkern, das hellhörige Ohr des Pfiffikus, die schöne, offne, einfache Handbewegung des Menschen, der mit sich im reinen ist, der das Herz auf dem rechten Fleck hat, bei dem alles stimmt. Er ist der Idealmensch auf Darmstädtisch. Wenn Niebergall keinen „Datterich" geschrieben hätte, dann wäre dieser F. K. der Nationalheros der Darmstädter. Er hat genau so viel Genie, als er zum praktischen Leben braucht, er wird sich nie an der Wirklichkeit stoßen, denn er ist ja Wirklichkeit.

(Zuerst veröffentlicht in „Blätter des Hessischen Landestheaters" 1931, Heft 10. Entnommen Hans Schiebelhuth, Gesammelte Werke, Darmstadt, 1969.)

Josef Nadler: antibürgerlich

Es verschlägt nur wenig, daß Niebergall an den Jakobinerplänen seiner Gießener Freunde keinen Gefallen fand. Von Georg Büchners Weltanschauung und Dichtung führt dennoch eine ergiebige Ader zu den zwei Lustspielen, die Niebergall geschrieben hat: „Des Burschen Heimkehr" 1837 und „Datterich" 1841, beide in Darmstädter Tonfall. Wen sie nur zum Lachen reizen, der lacht über sie hinweg. Der Gießener Hochschüler, der dort nach lustigen Dummejungenstreichen zum Metzgerhandwerk seines Vaters zurückkehrt, und der Schmarotzer des Bürgertums, der hier in der vollen Meisterschaft seines Gewerbes auftritt, das sind Gestalten und Vorwürfe aus Büchners geistiger Nachbarschaft. „Des Burschen Heimkehr" setzt noch Zuversicht auf diesen jungbürgerlichen Nachwuchs, „Datterich" ist hoffnungslos und gibt das Bürgertum dem unbarmherzigen Gelächter preis. Wie bei Büchner so fehlt auch bei Niebergall jede Zweckabsicht. Aber diese Stücke, in satzgetreuer Mundart allein aus dem Wesen der handelnden Gestalten herausgespielt, von genialer Laune, schöpferisch und zutreffend in jeder Handbewegung, waren wie die von Büchner gerade darum unwiderleglich und zwangen zu unerbittlichen Folgerungen, weil sie nichts als Tatsachen feststellten. Lachen und Weinen sind Zustände des Beschauers, und sie berühren oder verändern das unbewegliche Antlitz der Dinge nicht.

(Josef Nadler, Literaturgeschichte des deutschen Volkes, Berlin, 1938.)

Robert Schneider: Datterich im Himmel

De Spirwes hot-em die Aage zugedrickt un hot aach die Leich for-en bestellt. Un's wor aach de aanzige, wo hinnenooch gange is . . . Middlerweile is em Datterich sei „verdribbelt Seel", wie de u'heeflich Bengler gesagt hot, langsam em Himmel zugefloge. 's wor Ende Abrill un deß Wedder an sellem Dag grod net zum beste . . . Deerst is e anner orm Seel dro'genumme worrn, un de liewe Herrgott hot in e groß Buch eineigeguckt un hot dann mit zusammegezogene Aaagebraune die anner orm Seel uffs Fissier genumme un hott uff Hochdeitsch zurer gesagt: „Du hast auf Erden Sünde um Sünde auf dich gehäufet, du hast deine armen Eltern schlecht behandelt und deine Geschwister um ihr Erbteil betrogen; du hast Geld ausgeliehen gegen hohe Zinsen und Wucher getrieben zum Nachteile deines Nächsten, du hast die Armen darben lassen, während du im Überflusse lebtest, du hast . . ." un so is es fortgange, Seit um Seit, un net aa aanzig Gutdhat wor vun dere Seel in unserem Herrgott seim Buch nodiert. Vier oder fimf Engel hawwe jetzt die orm Seel am Schlatwittche genumme, hawwe e eisern Falldier uffgerisse, wo gleich e dicker schwäwweliger Schwaddem erauskumme is, un hawwe die sindig Seel enunner gestumbt in die Höll. –– Den Datterich hot's orndlich geschuckert, wie er deß gesehe hot . . . Awwer schon hot jetzt unser liewer Herrgott ihn a'geguckt un hot dann bloß gesagt: „Aha – der Datterich!" un hot e nei Seit uffgeschlage vun dem dicke Buch. „Komm näher heran", hot de liewe Herrgott zum Datterich gesagt un hot mit de Hand iwwer e Seit vum Datterich seim Schuldkonto gefohrn. Der awwer hot sich gornet gedraut, neherzugeh, bis-em so zwaa Engel en samfte Ribbestumber gewwe hawwe, daß er fast hiegedorzelt weer.
Un do hot unser liewer Herrgott mit seine Nas aach emol in de Luft erum geschnubbert, hot sei Aagebraune hochgezoge un hot bloß gesagt: „Aßmannhäuser!"– sunst nix. . .
(Aus Robert Schneider, „Wie de ‚Datterich' in den Himmel kumme is", Darmstadt, 1940.)

K. H. Ruppel: Lügendichtung

Das ungeübte Ohr vernimmt im Darmstädtischen nur Gemütliches, Behagliches oder gar Behäbiges. Der Kenner hört das Spitze, Wendige, schlagfertig Trockene als den besonderen Wesensausdruck des Darmstädters, der ein Relativist, ein Skeptiker und stets zur Kritik aufgelegter Ironiker ist, heraus, zugleich auch die Lust am Zierlich-Prächtigen und Glanzvoll-Heiteren, wie sie Menschen eignet, die den Wein lieben und heimliche Dichter sind (. . .). Gerade das aber ist ein Merkmal der genialen Konzeption von Niebergalls Datterich, daß er das Spießertum nicht als „Opponent", sondern als sein Exponent widerlegt. Er steht nicht am Rande, sondern mitten in dieser Welt von Stammtischbrüdern, Skatspielern, Wirtshaushockern und politischen Kannegießern, von denen er sich nicht durch seinen Charakter, sondern durch seinen Verstand unterscheidet. Sein Horizont ist nicht weiter, aber viel heller als der ihre. Seine Lebensgewohnheiten ähneln denen der Spießer auf ein Haar – nur daß bei ihm, dem ewigen Habenichts, der immer vom Pump lebt, noch ein improvisatorisches Element darin Platz findet, dessen die anderen dank ihrer muffigen Ord-

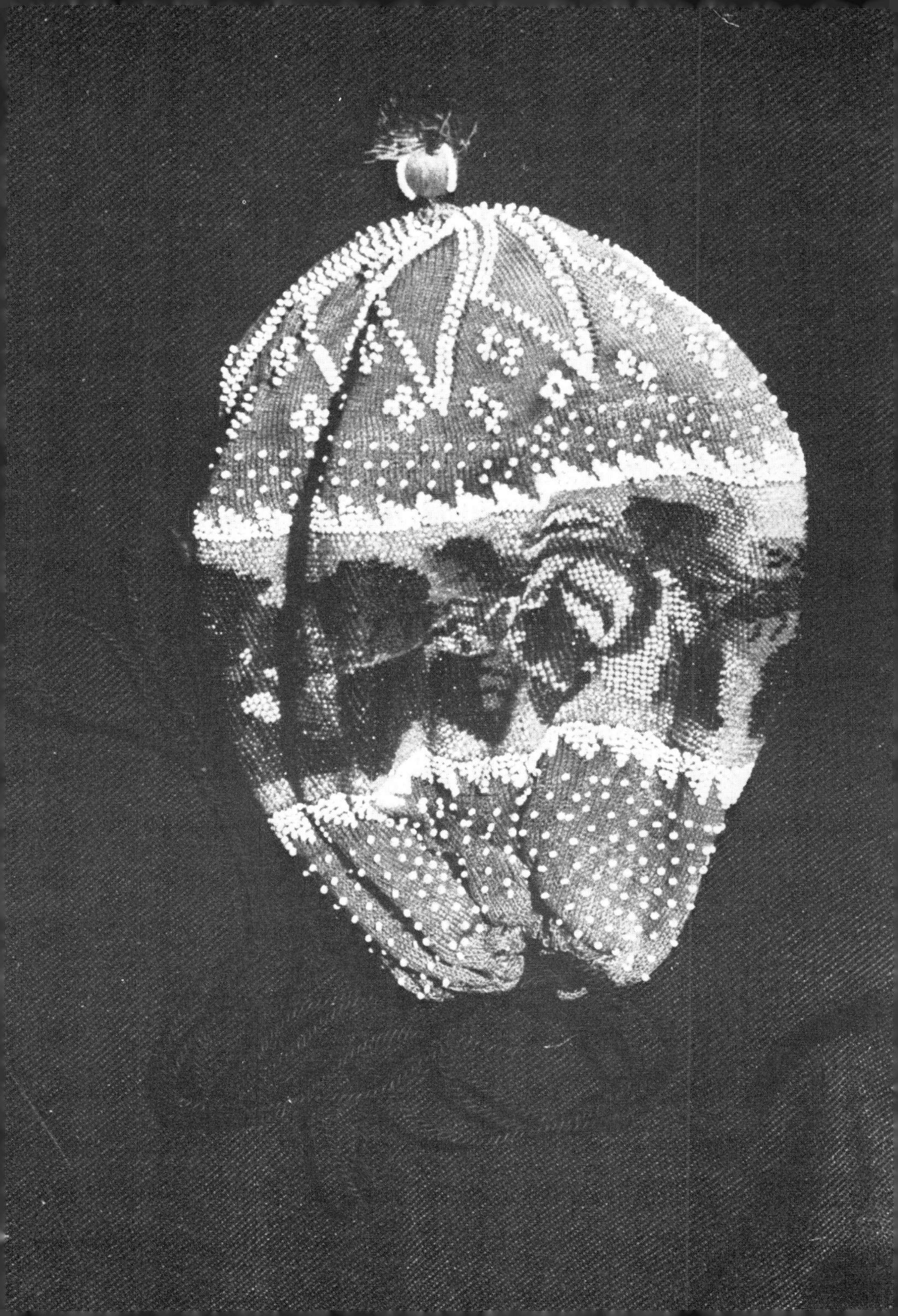

nung und ihrer dumpfen Behaglichkeit nicht bedürfen. Umgekehrt sind Niebergalls Darmstädter Spießer aber auch so beschaffen, daß sie einen widersetzlichen Geist wie Datterich nicht nur dulden, sondern sogar brauchen. Nur indem sie seine unsolide Existenz ständig vor Augen haben, genießen sie mit rechtem Wohlbehagen ihre eigene Solidität. Nur indem er ihn täglich stört, fühlen sie sich recht geborgen in ihrem bürgerlichen Frieden. Eine höhere, in ihrer unverkennbar dialektischen Struktur sehr darmstädtische Ordnung waltet in den Beziehungen zwischen Datterich und seiner Umwelt. Der Schuster Bengler verbläut ihn mörderisch, weil er seine Rechnungen niemals bezahlt, und Datterich, weit davon entfernt, in solch schmerzhafter Behandlung eine brutale Überschreitung der Gläubigerbefugnis zu sehen, ist auf diese Art, sich bezahlt zu machen, durchaus vorbereitet und mit ihr zufrieden. Nichts ist falscher, als Datterich zu einem „Ausgestoßenen" zu machen, der lügt, schwindelt und gaunert, um sich zu „rächen". Die Lüge ist seine Form der Phantasie und zugleich die einzige, die auch die Spießer verstehen; denn sie ist ihr Ersatz für Dichtung. Wenn Datterich lügt, daß sich die Balken biegen, wird er den Spießern großartig oder unheimlich, bedeutend oder bedrohlich (oder auch, wie dem Musterspießer Schmidt, bei dem er sich als gefürchteter Duellant einführt, alles zusammen): den Dichter können sie nicht bewundern, weil sie die Elemente seiner Welt nicht begreifen; den Lügner bewundern sie, weil er seinen Schwindel aus den Elementen ihrer Welt fügt.
(Aus der Kritik, die der Theater- und Musikkritiker K. H. Ruppel nach der von Wilfried Seyferth inszenierten Aufführung des „Datterich" am 11. März 1941 im Berliner Deutschen Theater schrieb.)

Theodor Heuss: Batsch-dich, do kimmt er

Er hat zuerst selber Traum- und Troststoff geliefert – wie er von der Redaktion der „Didaskalia", der „Blätter für Geist, Gemüth und Publicität", und von ihren Lesern in Küchen und Läden erwartet wurde –, dann aber die Träumer und Trostbedürftigen selber entdeckt, das Äußere zu solchem Inneren. Und jetzt nimmt er sich anders aus im Munde der treu verliebten Metzgerstochter Bärbel Knippelius (in seinem ersten Dialektlustspiel, „Des Burschen Heimkehr oder Der Tolle Hund"), wenn sie ihrem Schneidergesellen von ihrer Lektüre erzählt: „Sich, des Buch, wo de mer gewwe host, hot mich orndlich gedrehst – Wie is es Dehre erscht gange! Die ganz Welt hot sich geje se verschworn gehatt, un der bees Borgkapplan hatt se weis gemacht, ihr Liebhawer deht nit mehr lewe: des hot se awwer all nix gekratzt! – Is er doht, sehkt se, so wer ich em nochfolge, un hot sich schun des Messer an Hals gesetzt: Batsch-dich, do kimmt er, un es geht Alles gut ob."
So labt sich dieses brave Kind am happy end des Ritterromans und verleibt sich's ein in ihrer eigenen Sprache. Auf dieses „Batsch-dich, do kimmt er" warten alle. Niebergall bietet das merkwürdige, vielleicht einzigartige Beispiel eines Kolportage-Autors, der weiß oder doch zu wissen lernt, was er tut, ohne aber in Zynismus zu fallen. Er hebt die Kolportage auf, ohne sie zu verdammen. Zuletzt feiern die Grafen- und Jungfrauen-, Ritter- und Räuberphantasien ihre Auferstehung im Geiste Datterichs, des Particuliers, der die gröbsten Gläubiger stutzig und den braven arrivier-

begierigen Schmidt kirre macht, indem er alle Groschenträume souverän handhabt – es ist die Titelfigur der berühmten „Lokalposse in der Mundart der Darmstädter", die Niebergalls Hauptwerk darstellt: der intelligente Aufschneider und Simulant, der nichtsnutzige arme Teufel, der am Rande der bürgerlichen Gesellschaft Solo spielt, der ist es, der die Kolportagefiguren aus der stickigen Kerkerluft des seufzenden Busens herausführt und sie wahrhaft befreit.

„Komm' an mei Herz, Hulda! Was willst du, schwatzbärtiger Krieger? Willst du mir vabieten, auf dem Deppich der Nadur zu wandeln?" So redet Datterich in gespieltem Delirium den groben Schuster Bengler an, der von der Eintreibung seines Ausstandes nicht zu abstrahieren gesonnen ist, der sich aber schließlich doch unverrichteter Dinge wieder zurückzieht, weil selbst er sich an einem Schwerkranken nicht vergreifen will.

(Aus Theodor Heuss: „Ernst Elias Niebergall", 1943. Zitiert nach Theodor Heuss „Vor der Bücherwand, Skizzen zu Dichtern und Dichtung", Tübingen, 1961.)

Walter Höllerer: Wirklichkeitskunst

Die Stelle aus „Datterich", an der aus Verlegenheit eine Nachtigallenlandschaft vorgetäuscht wird, die aber dann sogleich als eine sehr konkrete Frosch- und Unkenlandschaft sich entlarvt, gehört zu den bezeichnenden Mosaiksteinchen, aus denen sich diese Komödie zusammensetzt. Wahrhaftig, keine ernsthaften Darstellungen; aber niemand kann verkennen, daß Niebergalls Kunst Wirklichkeitskunst ist . . . Schärfe der Beobachtung, einer Beobachtung der äußeren Vorgänge und der seelischen Absprünge, der gesellschaftlichen Kräfte und Gewichte, auch der Schwächen und der Gesinnungskulisse jener Zeit ist auf die Spitze getrieben, und die Darstellung weiß genau den Ton zu treffen, Verschönerung, Verschnörkelung, jedes Wort zu viel zu vermeiden. Dieser Realismus, das heißt die Entdeckung einer „unteren" Wirklichkeit, die poetisierungsfähig ist, ohne daß sie mit einer darüber- oder dahinterliegenden Wirklichkeit korrespondiert, steht in der Nähe des Werkes von Büchner, auch wenn es beim Lachen bleibt.

Die romantische Landschaft der Nachtigallen wird zu einer Landschaft der Frösche: aber immerhin, nach dem Stilgefühl eines Niebergall, zu einer wirklichen Landschaft, während die Nachtigallenlandschaft zu diesem Zeitpunkt der Poesie (sowohl der geistesgeschichtlichen wie der soziologischen Entwicklung nach, können wir rückschauend sagen) nur noch eine Verlegenheitslandschaft, ein aus Verlegenheit herbeigeholtes Requisit sein konnte, das durchschaut und einem breiten Lachen ausgeliefert wird. Das ist nicht mehr eine Sphäre der „Niederen" oder des „Niederen", die nach dem aristotelischen Prinzip der hohen Tragödiensphäre gegenübersteht. Diese Komödien zeigen vielmehr die ganze Welt, wenn sie die Darmstädter Bürger zeichnen. Denn die Feen, Heroen und die übermenschlichen gekrönten Häupter sind für diese Dichtung, im Gegensatz zur Welt Raimunds, überhaupt nicht mehr vorhanden, sie sind ihr abgestoben.

Aber auch hier erscheint diese ganze Welt der Kleinbürgerschaft in der Art des Karussells, der ewig nur an einem einzigen Fleck kreisenden, sich immer wiederholenden Figuren, nach einer Musik, die stets die alten Motive ableiert. Niebergall stellt

seinen Datterich abseits von diesem Karussell und läßt ihn mit dem Finger darauf deuten. Aber im Bannkreis bleibt auch er.
(Walter Höllerer, Zwischen Klassik und Moderne. Lachen und Weinen in der Dichtung einer Übergangszeit, Stuttgart, 1958.)

Dolf Sternberger: mit einigem Wohlwollen verbrämt

Ist er denn nicht wahrhaft ein komischer Held, dieser erfinderische Wirtshauslump, dieser pathetische Schnorrer, dieses verschüttete Genie, dieser phantasievolle Spitzbube, dieser „Particulier" ohne Amt und Geld, der sich mit nichts als Geist behilft und alle Welt an der Nase herumführt? Und nimmt er nicht – einstweilen wenigstens – ein tragisches Ende, herausgeworfen aus dem Kreise der ehrbaren Dummen, nachdem sein letzer und kühnster Versuch, als Gönner und Glücksbringer mitten in die Höhle der verdutzten Bürger zu treten, so kläglich gescheitert ist? Und nicht allein eine Tragikomödie ist es, sondern zu alledem auch noch eine Satire. Eine Satire auf die ganze Gesellschaft der etablierten Handwerksmeister mitsamt ihrem anpassungsfreudigen Nachwuchs, ihren beschränkten Hausfrauen und heiratsbegierigen lieben Mädchen – in hoher Konzentration dargestellt in der Familie des Drehermeisters Dummbach –, eine Satire freilich, die (um Datterichs Worte zu gebrauchen) „mit einigem Wohlwollen verbrämt" ist bis zu dem großen Augenblick, da der komische Held, der geprellte Preller, nach verlorenem Spiel sich zur großen Rache- und Gerichtsrede erhebt und einem nach dem andern seine Wahrheit ins Gesichts sagt: da verschrumpft die Würde zur Albernheit, und das gepäppelte Liebesglück wird schal unter der Zukunftsvision der Pantoffel-Ehe. Der Triumph ist kurz, der nichtsnutzige Störenfried wird ausgestoßen, Ruhe und Selbstbewußtsein wiederhergestellt. Beinahe wäre das Ende giftig geraten, bliebe nicht ein allerletztes Wort, welches wiederum die Bitterkeit mit einiger Wehmut verbrämt. Der studierte Metzgermeister Knippelius spricht es aus: „Schadd, daß Ahns beim Hochzeitsschmaus fehle muß." – Dummbach: „Ich wißt net, Wer? " Knippelius: „Der Datterich!" – Ein Wort der Rettung und Versöhnung, wenn auch nur in effigie. Schuld und Strafe bleiben zurück. Knippelius spricht für höhere Instanzen, und der lachende Gerichtshof des Parketts ist auf seiner Seite. Die feineren Werte der Verbummelung können nicht untergehen.
(Aus der Kritik, die Dolf Sternberger nach der Aufführung des „Datterich" in Frankfurt am 14. August 1962 in der „Frankfurter Allgemeinen Zeitung" veröffentlicht hat.)

Volker Klotz: Passivist Spirwes

Spirwes, der Arbeit, den Frauen und jeder Gefühlsemphase abhold, meidet alles, was mit irgendeiner Anstrengung verbunden ist. Sein Sprechen zumal zeigt die Tendenz, das Ich aus dem Getriebe der Welt und der Grammatik herauszuhalten und damit Hand in Hand, sich tunlichst aller aktiven Tätigkeiten zu enthalten. Am Ende des Traisa-Bildes wollen Datterich und die andern das Lokal wechseln. Störrisch be-

gehrt Spirwes auf: „Warum soll dann net do gebliwwe wern?" Ihm sind alle plötzlichen Bewegungen und Veränderungen zuwider. Er gibt jedoch dem einfachen Sinn „warum bleiben wir nicht da?" eine vertrackt umwundene Form, die das Besondere hinterm Allgemeinen, das Persönliche hinterm Sachlichen, das Tun hinterm Erleiden verschanzt. Seiner Denk- und Sprachmentalität nach unternimmt man einen Aufbruch oder eine Ortsveränderung nicht – sie widerfährt einem. Das anschließende Ereignis scheint ihn auch zu bestätigen. Der gefürchtete Schuster Bengler taucht auf, und in unerwarteter Behendigkeit ist Spirwes zu gehen bereit. Er bewegt sich nicht, er wird bewegt. (. . .) Spirwes ist Passivist, im Leben und im Reden. Als Datterich ihm erzählt, er werde sich mit einem Unbekannten duellieren, wolle dabei aber verzeihend in die Luft schießen, ist Spirwes von solch dummem Edelmut befremdet. Seine „private", d. h. alle fremden Belästigungen ausscheidende Haltung, die jede Einmischung nach außen meidet und jede Einmischung von außen sich verbittet, versteht Datterichs Entschluß nicht. Spirwes würde bösartige Behelligungen seiner Person nicht straflos hingehen lassen. Doch wie formuliert er das! „Wer mir nooch dem Läwe sträbt, dem werd widder danooch gesträbt". Ein blutrünstiges Aug' um Auge, Zahn um Zahn – allein, die Syntax schielt, und die Rache kommt zahnlos daher. Im Vordersatz, wo es leidet, ist das Ich, wenn auch „gebeugt" noch da („mir"); im Nachsatz, wo es konsequenterweise etwas tun müßte, hat es sich davongestohlen, hoffend, daß irgendeine allgemeine Instanz es rächend vertrete: „dem werd widder danooch gesträbt". Jede persönliche Strebsamkeit, selbst die nach dem Leben eines Todfeindes, ist Spirwes ungemütlich. Sie würde seine bissig-behagliche Ruhelage stören, die ganz auf Aufnahme und Glosse, nicht auf Handlung gestellt ist. Die Gestalt des Spirwes zeigt dreierlei: Niebergalls Verfahrensweise, mit Sprache komisch zu charakterisieren, seine Sorgfalt in der Zeichnung von Nebenfiguren, schließlich den weitgehenden Verzicht, bei seinen Personen auf ein überkommenes Typenarsenal der Komödie zurückzugreifen; denn Spirwes, der unpyknische Phlegmatiker, der Radikale ohne Fanatismus, ist ohne typologische Ahnen.
(Entnommen dem Nachwort der von Volker Klotz besorgten wissenschaftlichen „Datterich"-Ausgabe im Verlag Walter de Gruyter & Co., Berlin, 1963.)

Georg Hensel: Pathos, Witz und Politik

Datterich ist in der tiefsten Not ohne Mitleid mit sich selbst; voll Vertrauen in seine Phantasie; nicht zu entmutigen durch Mißerfolge; immer bereit, etwas zu versprechen, was er bestimmt nicht halten kann; stolz auf sein rhetorisches Talent, andern die Meinung zu sagen. Es ist große Lügendichtung, wenn Datterich, um Schmidt zu imponieren, von einem Duell erzählt, das er angeblich mit einem Baron gehabt hat: er hätte das „Bareenche" erschossen, hätte sich nicht auf Datterichs Visier ein „Schmaaßert", eine Schmeißmücke, „ganz bumadig die Fihß" geputzt – so geht der Schuß daneben, und Datterich spricht mit großem Pathos zum Baron: „Sie hawwe Glick . . . der Schmaaßert war Ihne ihr Schutzengel". Eine Schmeißfliege als Schutzengel: das ist das Darmstädter Pathos, das sich selbst auslöscht.
Nun können pathetische Situationen im Leben eines geprellten Prellers nicht ausbleiben. Sie stürzen den Datterich von der Höhe des Dialekts in die Niederungen des

Hochdeutschen. So klagt er nach einem Streit, bei dem er Schmidt als Objekt der Ausbeutung endgültig verloren hat, feierlich, wenn auch sitzend: „Hier steh ich, ein entlaubter Stamm!", und dies ist ein Zitat aus Schillers „Wallenstein". So beteuert er, als er endgültig durchschaut ist, mit der Hand auf dem Herzen: „Ich bin besser als mei Ruf", und dies ist wiederum Schiller, „Maria Stuart". Schillers „Braut von Messina" muß herhalten, wenn Datterich in seinen Lügendichtungen sich selbst als todesmutigen Duellanten pathetisiert: „Des Läwen ist der Gihder hechstes nicht", und wenn sich Datterich, um seine Lügen glaubwürdiger zu machen, bei Schmidt als aufrechter deutscher Michel einführt, so schafft er dies wiederum nicht, ohne sich an Schiller anzulehnen. Sagt in „Kabale und Liebe" der Musikus Miller zu Wurm: „Und dann von der Brust weg, Herr Vetter – ich bin halt ein plumper gerader teutscher Kerl", so beteuert Datterich dem Schmidt: „Die Wahrheit zu redde, liebes Freindche, des ziert de Mann: ich bin so e deitscher Michel un sag's grod, wie mer'sch um's Herz is". Und da er somit das Nationalgefühl so schön angesprochen, wirft er noch einen Trinksprich von Marschall Blücher als Zugabe hinterher: „Gut deitsch odder an Galje!" Ohne ein Schiller-Zitat kann Datterich nicht pathetisch werden: Der Dialekt ist dem Pathos, oder, darmstädtisch ausgedrückt: das Pathos ist dem Dialekt nicht gewachsen. Der Datterich spricht Hochdeutsch, wenn er lügt – oder höflich ist.
Da Datterichs absoluter Gegenpol, der Drehermeister Dummbach, „net gern an so Orde" geht, „wo mer kah Zeidung zu läse krikt", kommt mit der Zeitung die Zeitgeschichte und mit der Zeitgeschichte die Politik ins Spiel, in die Biedermeier-Posse. Dummbach ist ein leidenschaftlicher Liebhaber der Journale, und niemand ist so gut über die Weltlage unterrichtet wie er. Durch das Ausmaß seiner Lektüre ist er allen andern weit überlegen. Wenn er freilich die Ereignisse miteinander verknüpft, so kommt er zu derart törichten Ergebnissen, daß er sich den Unbelesenen gegenüber an Einsicht weit unterlegen zeigt. „Währenddem des vorgeht", so faßt er seinen Kommentar zur Weltlage zusammen, „sitzt der Suldan in seim Diwan un lacht ins Feistche. Der blaßt bloß druf, bis sich ganz Eiroba an de Kepp hot: dann kimmt er. Mir erläwe's net, awwer Sie wern sähe, daß ich recht hab: in fufzig Johr sinn mehr all Derke!" Das Thema der Verdummung des Menschen durch Information – Niebergall hat es in seinem Dummbach dramatisiert, längst ehe es so brennend aktuell geworden ist wie heute. Und Dummbach besitzt auch bereits den Hochmut des Informierten, der über jeden Gegenstand gewichtige Urteile abgibt, zumal er unfähig ist, seine Informationen zu verarbeiten. Dummbach ist – kaum übertrieben ausgedrückt – die Vision vom Opfer der Television. Tief bewegt spricht er vom vaterländischen Strom, vom Rhein, und von den räuberischen Franzosen: „Sie sollenen net hawwe". Öfters hat er den Wunsch geäußert, daß die Franzosen den Rhein „liewer wie Hofmennische Droppe uf Zucker einnemme sollte, als uf sunst e Weis". Seiner Frau dagegen ringt die Aussicht auf französische Besatzung nur den wahrhaft absurden Seufzer ab: „Do kennt mer widda de ganze Daag am Härd steh un kennt franzeesch Supp koche".
Datterichs Freunde teilen mit Frau Dummbach die Abneigung, sich über nationale Belange zu alterieren. Sie weigern sich strikt, für das Hermanns-Denkmal Geld zu spenden, und als sie Datterich, der dafür natürlich nie einen Groschen übrig hätte, heuchlerisch tadelt: „Sie sinn mer scheene Padriote! Wann der Hermann net gewäse wehr, do hette die Remer Deutschland ganz unnerjocht", so meint Schmidt, unerschüttert: „Alleweil dehte mer vielleicht ladeinisch schwätze", und

Bennelbächer erscheint diese Aussicht durchaus vorteilhaft: „Do deht mer doch aach dene Advekate ihr ladeinische Brocke vasteh"! Noch im Biedermeier scheint man im ehemaligen Herrschaftsbereich der 22. römischen Legion ein Gefühl dafür zu haben, daß die Besatzungsmächte den Besetzten auch manches eingebracht haben: die Römer mindestens den Wein, die Franzosen für Hessen mindestens den Titel eines Großherzogtums, und in unseren Tagen die Amerikaner mindestens die Voraussetzung für eine Demokratie. Das Verhältnis der Darmstädter Biedermeier-Bürger zur Politik drückt der Schneidermeister Steifschächter unmißverständlich aus: „Ich kimmer mich wenig um des, was außerhalb vorgeht".
Was außerhalb vorgeht, gelangt nur durch Dummbachs Zeitungslektüre gelegentlich an ihre Ohren und ist durch seine grotesken Schlußfolgerungen und Formulierungen zu einem Witz geworden. Hinter so manchem Satz im „Datterich", über den man heute unbeschwert lachen kann, rumorten für die Zeitgenossen Niebergalls die Schrecken der Politik und der Weltgeschichte. In dem Jahre 1837, in dem der politisch verdächtige, zum Dieburger Hauslehrer gewordene Niebergall freigesprochen wurde, fand man am 23. Februar im Darmstädter Gefängnis in der Rundeturmstraße den Revolutionär Friedrich Ludwig Weidig tot auf; er hatte sich mit Glasscherben die Pulsadern geöffnet und mit seinem Blut an die Zellenwand geschrieben: „Da mir der Feind jede Verteidigung versagt, so wähle ich einen schimpflichen Tod von freien Stücken. F. L. W." Im Mai des gleichen Jahres wurde Büchners Freund Karl Minnigerode nach drei Jahren qualvoller Haft wegen seelischer und geistiger Erkrankung aus dem Darmstädter Gefängnis entlassen; er ging 1839 nach Amerika wie die Studenten Kahlert und Nievergelter, die Büchners Darmstädter „Gesellschaft der Menschenrechte" angehörten; wie später Büchners Freund August Becker, ein Mitglied seiner Gießener Gesellschaft der Menschenrechte; wie damals viele Namenlose, die das reaktionäre politische Klima in Deutschland nicht länger ertragen konnten. In dem von der Zensur betroffenen „Datterich" fällt über diese Vorgänge nur ein Satz: „Un wos wannert widder e Menschespiel nach Amerika aus". Datterich gebraucht ihn, um den Schneidermeister Steifschächter, der ihm eine alte Rechnung präsentiert, vom Thema des Bezahlens abzulenken.
Karl Minnigerode und August Becker sind namhafte Amerikaner geworden; Feinde im Bürgerkrieg: Minnigerode auf der Seite der Südstaaten; er wurde der „Beichtvater der Sezession" genannt; er war ein Freund von Jefferson Davis, dem Präsident der Konföderierten, und ein hoch angesehener Mann. Becker dagegen, ehemals kommunistischer Agitator in der Schweiz; Korrespondent der von Karl Marx herausgegebenen „Rheinischen Zeitung", nach 1848 hessischer Landtagsabgeordneter – dieser „rote Becker", wie er genannt wurde, war in den Vereinigten Staaten Zirkusakrobat und während des Bürgerkrieges Pfarrer in der Armee der Nordstaaten – er wurde als Feldprediger eines New Yorker Regiments mit vielen Deutschen weit berühmt durch seine rhetorische Meisterschaft. Nur die Tatsache, daß das Maschinengewehr noch nicht erfunden war, hat die Amerikaner daran gehindert, ihn „das Maschinengewehr Gottes" zu nennen. Immerhin brachte er es zu dem seinen Zeitverhältnissen angemessenen Beinamen „Das berittene Wort Gottes".
Der schwärmerische Begriff der „Empfindsamen" aus dem 18. Jahrhundert kann über die Nüchternheit der Darmstädter Luft nicht hinwegtäuschen. In ihr hatte Goethe als junger Mann, rund siebzig Jahre vor Niebergalls „Datterich", mit Johann Heinrich Merck Knittelverse um die Wette gedichtet und sich hier für den Faust end-

gültig zum unliterarischen Knittelvers entschieden. In dem spöttischen Weltverstand seines Carlos im Trauerspiel „Clavigo" konnte Merck und kann der Darmstädter eine Ausprägung seiner besten Eigenschaften erkennen – Merck freilich meinte gut darmstädtisch dazu: „Solch einen Quark mußt Du mir künftig nicht mehr schreiben, das können die Andern auch". Goethe registrierte, als er hier auf der Schweizer Reise Station machte, Merck „mephistophelisch querblickend", und die Gelehrten streiten sich darüber, ob Merck (oder etwa Behrisch in Leipzig) das Urbild Mephistos sei – ein müßiger Streit: Vieles ist in Mephisto eingegangen und gewiß auch das, was Goethe an Merck rühmte: „Treffend und scharf zu urteilen, war ihm gegeben". Insofern ist Mephisto – wie der Datterich, sein (nach Fritz Usinger) „kleinerer Bruder" – ein gebürtiger Darmstädter.

Zahlreich sind die Selbstentlarvungen durch das, was man seit Sigmund Freud „Fehlleistungen" nennt, durch das verräterische Sichversprechen. So prahlt Datterich damit, daß die vier Bedienten des Barons vor ihm, dem im Zorne schrecklichen Datterich, zurückgewichen seien: „so schreckhaft haw-ich ausgesähe". Und wenn er beim Kartenspiel betrogen hat und erwischt wird, so versichert er treuherzig: „Uf Ehr, des wor mei Absicht net. Ich will net hawwe, was recht is, des wisse–Se". Sein Unterbewußtsein plappert aus, was er bewußt vertuschen möchte. Die schönste Fehlleistung aber stammt vom sanftmütigen, einfältigen Schmidt, wenn er, endlich entrüstet, den intelligenten Datterich also tituliert: „Sie schlechter denkender Mensch". Damit hat er offenbart, daß ein Kleinbürger wie er schon das bloße Denken für schlecht hält.

Seinem Freund Merck verdankt Goethe einen ihm unvergeßlichen und oft angewandten Rat. Es ist wohl der klügste literarische Rat, der jemals einem jungen Autor gegeben worden ist. „Dein Bestreben", sagte Merck zu Goethe, „deine unablenkbare Richtung ist, dem Wirklichen poetische Gestalt zu geben; die andern suchen das sogenannte Poetische, das Imaginative zu verwirklichen, und das gibt nichts wie dummes Zeug." Dieser Satz könnte das Leitmotiv aller kritischen Darmstädter Literatur sein und auch über dem Gesamtwerk Georg Büchners stehen. In „Dantons Tod", den Büchner in der Grafenstraße schrieb, um rasch Geld für die Emigration zu beschaffen, während er jede Stunde seine Verhaftung erwartete, singen die Pariser Henker im Darmstädter Dialekt „Und wann ich hame geh, scheint der Mond so scheh" . . ., und nie hat ein Revolutionär die Helden der von ihm bejahten Revolution gleichwohl so nüchtern, so „wirklich" als „Banditen" gesehen wie Büchner in seinem Drama. Niebergall hatte in seinen Novellen versucht, Imaginatives zu verwirklichen und dabei in der Tat nur dummes Zeug hervorgebracht.

Als habe auch ihn eines Tages Mercks Rat erreicht, gab er in seinen beiden Theaterstücken dem Wirklichen, dem Alltag, in dem er lebte, poetische Gestalt. Darüber wurde er zum Dichter. Rein aus dem Biedermeier gewachsen, verspottet Niebergall das ewige Biedermeier, und wie Nestroy (mit dem er in der Form nichts gemeinsam hat) ist er skeptisch, parodistisch, antipathetisch, antiromantisch und angriffslustig. Doch läßt er – anders als Nestroy – den Objekten seiner Angriffe, den Spießbürgern, nachdem er sie verhöhnt hat, schließlich mit souveräner Wurschtigkeit ihr Daseinsrecht, denn „so e Mensch" sagt sein Datterich und trifft damit den Menschen überhaupt, „is kah Gäjestand for mein Zorn".

(Aus Georg Hensel, Der Datterich und die Darmstädterei. Rede zum 150. Geburtstag Niebergalls. Darmstadt, 1965.)

Beim Abschied von einem Feind:
Ich will Ihne nix Beeses winsche, awwer des Gewidda muß Ihne uf de Kopp fahrn!
Beim Abschied von einem Freund:
Un daß-de noch als emol an mich denkst, wann mer vielleicht schun mit meine Knoche Niß ufkloppt!
Beim Anhören eines Angebers:
Wann des wohr wehr . . .
Beim Anwalt:
Ich will net hawwe, was recht is, des wisse-Se.
Beim Apfelwein:
Die Brieh hat so e ahgenehm Essigseire.
Beim Empfang einer Arztrechnung:
Des als fort Doktern, des hot was uf sich.
Ärger über einen Feind, Anfangsstadium:
Wer mir nooch dem Läwe sträbt, dem werd widder danooch gesträbt!
Ärger über einen Feind, Endstadium:
So e Mensch is kah Gäjestand for mein Zorn.
Gegen die Überschätzung eines Feindes:
Er frißt kah Schuhwichs un beißt aach kah Ohweschrauwe ab.
Die wo Der doht geschosse hat, läwe all noch.
Im Zorn gegen einen Feind:
Wos deht ich-en so gern haage!
Im Zorn gegen einen Freund:
Der Duft muß-en dricke!
Gegen die Frühaufsteher:
Ja wohl, die Morgenstunde hat Gold im Munde, absonnerlich wann mer se vaschläft. In der Klaß bin ich gelernt worn: aurora musis amica, des haaßt uf Deitsch: Morjends schläft mer am Beste.
Während einer Feuersbrunst:
Ja, wann nu Ahns im Schlaf mit vabrenne deht, wo so in der Zastreiung net wach werd'?
Warnung vor unnötiger Flucht:
Issi, sehkt der Spanjer. Do gebliwwe!
Zu einem ängstlichen Menschen:
Ich glahb, du gedraust dich net mit eme Stäcke bei e doht Hinkel zu geh.
Beim Eintreiben von Geld, wenn Sie der Gläubiger sind:
Geld will ich sähe, meine Herrn. Des leer Stroh dräsche duschur bin ich dick.
Beim Eintreiben von Geld, wenn Sie der Schuldner sind:
Bezahle, wann mer Geld hat, des is kah Kunst: awwer bezahle, wann mer kahns hat, des is e Kunst, liewer Mann, un die muß ich erscht noch lerne.

Bei der Auszahlung von Haushalts- und Taschengeld:
Des Ah' braucht des, des Anner des, des Ah' will e Klahd, des Anner will Schuh, des Anner will Bücher, des Anner will Schulgeld – es deht Not, mer deht sein Rock ausziehe: do hobt-er'n, dahlt eich! Zickt mer die Haut iwwer'm Kopp zamme!
Beim Kartenspiel, um es in Gang zu bringen:
Meine Herrn, wolle mer net e Bisje in Wolfgang Reiters zwei un dreißigblättrige Gebetbuch blättern?
Beim Kartenspiel, wenn zu lange gezögert wird:
Kabutt odder en Ranze! Eraus mit de wilde Katze! E Katt odder e Scheit Holz!
Beim Kartenspiel, wenn Sie die Hand voller Trümpfe haben:
Von oben herab, sprach Bonabatt! Drumb, Drumb, Drumb! un do is noch e ganzer Hut voll Drimb!
Beim Kartenspiel, während Sie vom Hunger überwältigt werden:
Lasse-Se sich net stehrn, meine Freinde, des Spiel erleid't kah Stehrung dorch mei Esse; des geht bei mir all wie e Uhrwerk.
Beim Kartenspiel, wenn Ihre Frau Sie anzusprechen wagt:
Siehst-de net, daß die Menschheit Katt spielt?
Zur Liebeskunst: wie man erobert:
Nor recht schlecht Zeik geschwätzt, des is e Hauptsach, wann mer bei de Weibsleit Glick mache will: um's Läwe net still geschwije, sonst halte se Ahm for en Simbel.
Zur Liebeskunst: falls sie sich ziert:
Mer mahnt, Ihr Weibsleit wehrt von merwe Daaig.
Zur Liebeskunst: Ermutigung, nicht aufzugeben:
Gemeiniglich sinn die Weibsleit erscht e Bisje absenat, da derf mer sich awwer net drah stoße.
Zur Liebeskunst: Trost beim Verlust der Geliebten:
O breiße-Se sich glicklich, daß-Se die Dunsel los sinn.
Zur Liebeskunst: falls eine Dame Sie beleidigt:
So schee Se sinn, so voller Uhz stäcke-Se.
Wenn Sie berechtigtes Lob empfangen:
Mache-Se mich net schaamrethlich.
Wenn man von Ihnen Lob erwartet:
Sie hawwe so geistmäßige Aage.
Zum Metzger, falls Sie einen besseren gefunden haben:
Fohrn-Se nor gedroost fort, weibliches Rindvieh von ehrwerdigem Alter zu schlachte: an meiner Rekommandation soll's Ihne, uf Ehr, net fehle.
Beim Anhören von Männergesang:
Wann die Kerl nor all Klees im Hals hette mit ihrm Gebrill!
Bei der Unterstellung, es fehle Ihnen an Mut:
Ich zittre nie, Sie Dunnerwedda!
Trost beim Mißerfolg:
Awwer so was schenirt en große Geist net.
Aufmunterung in einer Niederlage:
Awwer jetz muß sich mit Glanz erausgebisse wern.

In der Natur, überwältigt von ihr:
Wie is doch die Nadur im Allgemeine so schee!
In der Natur, ihrer überdrüssig:
Wos geht mich die Nadur oh! Frisch Luft wollt ich scheppe.
Bei drohendem Ortswechsel:
Worum soll dann net do gebliwwe wern?
Politische Gespräche: um sie einzuleiten:
Des hot sei bolitische Naube.
Politische Gespräche: um sie zu dämpfen:
Ich kimmer mich wenig um des, wos außerhalb vorgeht.
Politische Gespräche: um sie abzuwürgen:
Mir erläwe's net, awwer Sie wern sähe, daß ich recht hob: in fufzig Johr sinn mer all Derke!
Bei der Rückkehr aus der Schwesterstadt Bursa:
Sinn-Se widder do aus der Derkei?
Beim Antritt eines Rückzugs:
Alleweil geht's bei mir hinne enaus!
Bei Sammlungen für wohltätige Zwecke:
Ich bin-der Ihne so blott wie e Kerchemaus.
Bei der Aussicht auf Besuch aus der Schwesterstadt Troyes:
Do kennt ma widda de ganze Daag am Hährd steh un kennt franzeesch Supp koche.
Beim Empfang einer Todesnachricht:
So lahd hot mer noch Kahner gedah.
Beim Vorstellen, wenn Ihnen ein Name nicht einfällt, den Sie unbedingt kennen müßten:
Sie hawwe mer so e bekannt Physiognomie, ich mahn, ich mißt Ihne kenne. Sinn-se net, um Vergebung, der Herr Assesser Ranft?
Beim Vorstellen, wenn Ihnen ein Name nicht einfällt, den Sie nicht unbedingt kennen müßten:
Mei schwerenoths korz Gedächtniß!
Bei der Diskussion der hessischen Verkehrsplanung:
Wieviel reise dann an Dammstadt vabei, die wo sonst ihr Lebdaag net vabeige rahst wehrn?
Beim Wein, wenn Sie einen Grund zum Trinken brauchen:
Ich hab heit schon de ganze Daag so en vasteckte Dorscht.
Beim Wein, wenn Sie die Sorte wechseln:
Ich hatt da vorhin so en beese Rambaß.
Beim Wein, wenn Sie eingeladen sind:
Nemme-Se rohde, der is hier vorzüglich.
Im Wirtshaus, wenn Käse gegessen wird:
Sie fresse Hankees, daß-en de Stab zum Hals eraus kimmt.
Im Wirtshaus, wenn musiziert wird:
Macht e Paus, Liewer, die hehr ich von Eich am Allerliebste.
Beim Lesen dieser von Georg Hensel zusammengestellten „Datterich"-Zitate:
Schiddel doch des ohrm Be-em-che net so! Schorsch – du iwwer-dreibst's!

Die Abbildungen

Inhalt

Der Verlag dankt ganz besonders dem Stadtarchiv Darmstadt, Herrn Carl Horst Hoferichter, und dem Historischen Museum in Frankfurt am Main für die freundliche Unterstützung bei der Auswahl des Bildmaterials.
Herrn Rolf Faber, Wiesbaden-Freudenberg, für die Abbildung „Biebricher Steindamm"
Fotonachweis:
Tapetenmuster auf dem vorderen und hinteren Vorsatz und Spielkarten auf den Seiten 12/13 – Historisches Museum Frankfurt am Main
Alle übrigen Fotos – Stadtarchiv Darmstadt
Die Stadtansichten sind dem Bildband „Die Bau- und Kunstdenkmäler der Stadt Darmstadt", bearbeitet von Georg Haupt, entnommen

Auslaufer: Wann Se Lust hette, do bring ich Ihne e Buch zor Eisicht, des is der Mih werth, daß mer'sch kaaft.
Knippelius: Wie schreibt sich's dann?
Auslaufer: Es hot's e Dammstädter fabricirt, e gescheiter, studirter Mann, dem mer'sch gor net ohsieht, awwer er hot's hinner de Ohrn sitze.

Aus „Des Burschen Heimkehr oder Der tolle Hund"
von Ernst Elias Niebergall

Vun Dammstädter fabricirt

„Vom Geist einer Stadt". Ein Darmstädter Lesebuch, herausgegeben von Heinz Winfried Sabais. Beiträge Darmstädter Autoren vom 17. bis zum 20. Jahrhundert
„Lob der Provinz". Ein Darmstädter Lesebuch, herausgegeben von Heinz Winfried Sabais. Beiträge Darmstädter Autoren der Gegenwart
„Darmstadt, eine Liebeserklärung". Ein Fotobuch von Pit Ludwig. Idee und Text: Klaus Schmidt
„Darmstadt, Residenz kritischer Geister". Ein Fotobuch von Pit Ludwig. Mit Beiträgen von Kasimir Edschmid, Karl Krolow und Gabriele Wohmann
„Darmstädter Wörterbuch" von Johann Sebastian Dang. Mit 13 „Originalen" aus dem Darmstädter Skizzenbuch von Hermann Müller
„Darmstädtisches". Gedichtcher und Geschichtcher von Robert Schneider in Hesse-Darmstädter Mundart
„Harnier", ein Darmstädter Maler und Zeichner des frühen Realismus. Von Gerhard Bott
„Das alte Darmstadt" vor der Zerstörung. 114 Fotografien, ausgewählt und erläutert von Fritz Ebner
„Abglanz einer Residenz". Elf Aquarelle aus dem zerstörten Darmstadt von Annelise Reichmann. Mit einem Essay von Karl Krolow
„Eberstädter Geschichtenbuch" aus 12 Jahrhunderten. Von Wolfgang Weißgerber
„Ruthsebachgepläddscher" 100 Mundartgedichte von Georg Benz mit 14 Fotografien aus Arheilgen
„Das Kellerbuch". Ein Buch des Darmstädter Keller-Klubs, herausgegeben von Wolfgang Weyrauch. Mit Beiträgen von Darmstädter Schriftstellern, Malern und Komponisten und ihren auswärtigen Gästen aus zwanzig Kellerjahren

---

Bärbel in „Des Burschen Heimkehr": „Es stehn doch lauder so scheene Sache drin. Des Buch, wo de mer gewe host, hot mich orndlich gedrehst".

Und wo erhält man diese Roetherbücher? Im Buchhandel